MI MEJOR ENEMIGA

LAURA EVELIA

Querida amiga,

Disfruta el libro y que tu descubrimiento interno te llene de dicha y felicidad!!

Con Cariño.

Laura Evelia

MI MEJOR ENEMIGA

La verdad oculta detrás del autoengaño

Mi mejor enemiga

La verdad oculta detrás del autoengaño

The library of Congress Cataloging-in-Publication Data
Laura Evelia
Mi Mejor Enemiga/ Laura E Garcia

Diseño de portada por Pablo D. Rodríguez

ISBN 978-0-9985777-0-8

Para mi esposo: Edgar Cruz, por el apoyo incondicional y ser una inspiración a mi realización personal. Y para todas y cada una de las mujeres y hombres que han vencido el autoengaño y han encontrado el autoconocimiento a través del cuestionamiento propio.

INDICE

PRÓLOGO

Conocer a la autora, es conocer el espíritu de la obra que escribió. Laura es de esas mujeres en las que se puede confiar de entrada, basta con mirarla y saber que es fuerte, decidida y extraordinariamente noble. Su obra refleja claramente el gran dolor y las miles de preguntas que las mujeres nos hacemos y las circunstancias con las cuales luchamos en nuestro interior, esas que a veces quisiéramos no revelar y resolver solas, pero que nos damos cuenta que necesitamos de alguna que nos ayudé a tratarnos con cariño y nos guie a recorrer el camino de la salud!

Mi Mejor Enemiga tiene todo eso. En un recorrido placentero y calmo, nos ayuda a descubrirnos sin sentir culpa por lo que pasamos, pensamos o hacemos, y nos da las herramientas necesarias a través de las preguntas y respuestas que las protagonistas de cada historia se hacen y se dan. Podemos identificarnos con cada historia, palabra, secreto o pensamiento, por eso es tan sanadora.

Mi Mejor Enemiga es una lectura que fascina, forma, enseña, pauta y anima. Luego de leerla se te activan las fuerzas y las ganas internas que tal vez se apagaron con los silencios o los conflictos sin resolver. Recomiendo este libro a mujeres de todas las edades, a aquellas que, por su madurez, creen que ya "está" que no hay nada que se pueda hacer por transformar la vida que ya creen está torcida. Para la joven que no quieren repetir historias de dolor que vieron en sus madres, abuelas, etc. Y para las mujeres de media vida que saben que no hay un solo camino por el que se puede transitar y quieren ¡elegir bien!

Como suelo decir en mis charlas "la vida es una construcción y son nuestras palabras las que arman nuestro mundo". La autora nos ayuda a construir, con excelentes materiales, una maestra que forma maestras y con mujeres así, vale la pena arriesgarse para vivir mejor.

Este libro no sólo es un "libro", es un "testamento", que quien lo reciba leerá la herencia que la autora le dejó a todas sus lectoras, una herencia emocional y espiritual, rica y enriquecedora. Todas las mujeres estamos llamadas a dejar herencia a nuestras próximas generaciones, que la tuya sea como la que deja Laura, una que, sana, que perdura e impulsa.

Alejandra Stamateas
Autora y Conferencista Internacional

CAPITULO UNO

El encuentro

El sonido de la noche abierta nuevamente le hace recordar todo su pasado y el deseoso futuro que quisiera vivir. El reloj una vez más marca sin importar la vida, la noche, la plenitud. Y ahí sentada bajo una nube de pensamientos se acercó a ella una vez más a interrogarla, a querer saber por qué toma esas decisiones. Acercándose sin percatarse que había notado su presencia, Deborah le preguntó:

"¿Ya estás feliz Elena? ¿Crees que ya lograste lo que querías?"

"¿De qué hablas, a qué te refieres?" -Elena le contesto.

"A tu ilusa idea de querer evitar el conflicto, de querer tener la razón, de querer tener todo en orden, cuando tú y yo sabemos que no hay orden en este mundo. El orden es una ilusión y un espejismo rodeando tu cabeza. ¿Crees que evitando levantar la voz, evitando el conflicto y parecer buena, tierna y juiciosa ante los demás, tienes control?" -dijo Deborah.

"No sé si tengo el control, sólo sé que no quiero ser como tú. Peleando por todo, rebelándote ante otros y ante ti misma.

Queriendo que otros te escuchen y te conozcan. Queriendo ser el centro de atención." -respondió Elena con prontitud y sintiendo una amargura al hablarle así.

"Pero por lo menos sé que soy libre." -Deborah recalcó con orgullo y soberbia.

"¿Libre? ¿En verdad crees que eres libre?" –respondió Elena.

"¿A qué te refieres?" -Deborah cuestionó con esos ojos incrédulos y sospechosos.

"Vives queriendo hacer tu voluntad en contra de todo y todos, rebelándote ante cualquier sentimiento, pensamiento y filosofía, y ¿para qué? Al final, ni tú misma sabes qué crees, qué piensas o qué sientes. Sólo te hace feliz tu manía de ser diferente. Vives engañándote." -refuto abruptamente con su respuesta Elena.

Deborah se quedó quieta, pensativa y simplemente se retiró. Era extraño verla reaccionar así, ella siempre tenía una respuesta para todo y tenía esa habilidad de mostrarse serena, fría y calculadora. En el fondo Elena admiraba tanto eso de Deborah.

Deborah hacía plantearse a Elena las más inconscientes preguntas y formulaba esos inconfundibles diálogos de saber y reconocer quién era ella en realidad. Elena deseaba tanto aceptar a esa mujer que la miraba directamente a los ojos en el espejo cada día y le gritaba silenciosamente que tenía que dejar sus miedos y sus temores a un lado y luchar por sus sueños, luchar por sus metas, luchar por su vida.

El reto en Elena era entrar en lo más profundo de su ser y despertar a aquella niña que sin miedo alguno y con gran inocencia podría mirar al frente y sólo caminar, caminar con su objetivo en la mira.

Pero había una rivalidad desconocida entre Deborah y Elena. Era como si cada una de ellas deseara ser totalmente diferente una de la otra y a la misma vez, envidiaban su forma de pensar y actuar.

"¿Por qué me altera tanto la forma de ser de Deborah y a la vez quiero estar cerca de ella?" -se preguntaba Elena con dudas. Elena admiraba tanto la libertad que Deborah mostraba, esa libertad de pensamiento, de ideas y de autoridad. Al contrario de ella, Elena era sumisa, complaciente, tranquila, con un perfeccionismo nato y un control extremo de seguir las pautas y reglas establecidas. Sin embargo, secretamente anhelaba salir corriendo y vivir su vida sin expectativas ni reglas, sin prejuicios ni valías, sin miedos ni ataduras.

Elena recuerda cómo ha vivido su vida y cómo sus miedos al qué dirán, al rechazo o a la burla, la han llevado a aparentar una vida perfecta en el que no hay cabida a un error o alguna contradicción a lo esperado en ella. Viviendo todo el tiempo complaciendo y poniendo en primer lugar a otros, dejando a un lado el amor propio y la autoestima de la mujer y el ser humano que existe en ella.

Todo comenzó desde niña, Elena giró su vida en torno a los demás y a su aprobación, matando lentamente su propia valía y voz interna. Vivía queriendo agradar a sus padres, buscando aprobación de sus amigos, anhelando el aplauso y el consentimiento de las personas a su alrededor. Elena estaba dispuesta a hacer cosas que no le agradaban, estudiar lo que no le apasionaba y aceptar las demandas de los demás.

Cada día que transcurría, Elena sentía como su voz interior se iba apagando cada vez más. En cada momento que ésta le hablaba para decirle que no aceptara, contestara, consintiera, o permitiera algo que la lastimaba, Elena la callaba sin compasión ni remordimiento. Ella sólo quería recibir los halagos y las sonrisas de aprobación aún en contra de su propia felicidad.

Elena aún recuerda con remordimiento cada acto permitido por ella, tal como aquel día en que conoció a su esposo y la invitó a salir.

"Voy a pasar por ti a las 7:30 pm para llevarte a cenar, estate lista, no me gusta esperar." -le comentó el joven. Al llegar al restaurante el mesero se acercó a la mesa, Elena con su apariencia dulce y calmada le preguntó al mesero cuál era la especialidad de la casa. Sin tiempo que perder, el joven acompañante contestó inmediatamente: "No te preocupes por eso, yo sé que ordenar." Y sin perder tiempo alguno ordenó dos cenas y bebidas para Elena y para él. Elena, sorprendida al ver las acciones de este joven, sólo sonrió y justificó su comportamiento.

"¿Por qué no dijiste nada, Elena?" -la cuestionó esa noche Deborah, ofendida por aquella situación.

"¿Qué tiene de malo? Él fue cortes y pidió por mí para que no me preocupara." -contestó vacilante Elena con un poco de pena.

"¿Es que acaso no te das cuenta? No te tomó en cuenta, no te preguntó qué deseabas tú, o por lo menos si estabas de acuerdo con lo que ordenó." -le explicaba Deborah. "Desde el momento en que te conoció empezó a decidir y pensar por ti.

Apagó por completo lo único que te pertenece, tu voz y tu libertad. Lo más triste es que has permitido que la gente a tu alrededor haga lo mismo, tu familia, tus hijos, tu esposo, tus amigas, todo por la necedad de que te quieran, acepten y no te juzguen."

Deborah salió enojada y triste por no entender una vez más a Elena.

Elena sabía que Deborah tenía razón, pero crecía aún más su angustia al saber que ni su esposo o la gente a su alrededor han callado por tanto tiempo su voz como ella lo ha hecho consigo misma. Ella no ha querido escucharse, por miedo a que pierda lo que a su parecer ha ganado, que es la aprobación y aceptación de otros, cuando en realidad en el fondo la única que no se ha aprobado o aceptado ha sido ella misma.

"¿Será que Deborah ve algo que aún no me he dado cuenta? O ¿es mi deseo de ser diferente a ella? Para qué me engaño, yo sé que Deborah tiene razón, no soy feliz. Mi mundo de control y perfección me está volviendo loca." -Elena se decía así misma. "Me siento sola, triste, no tengo proyectos, no sé cuál es mi propósito de vida. Lo único seguro es mi posición ante los demás y mi familia. Sería doloroso saber que puedo perder todo lo conseguido hasta ahora. Además, estoy mucho mejor que otras personas." -se decía consolándose a sí misma y justificando sus actos.

Era evidente que existía una rivalidad entre estas dos mujeres, no sólo por su forma de pensar, sino al actuar. Era como si fueran unas totales desconocidas. Algo que le hacía preguntarse Elena: "¿Por qué no me acepta Deborah tal como otros? Pero qué puedo esperar de ella, si todo el tiempo vive alejada de mí, se aparece sólo cuando quiere reprocharme algo, quiere dar su opinión o quiere hacerme sentir mal, o simplemente quiere demostrar su valentía ante mí."

Deborah, sin espera alguna, se enfrentó otra vez a Elena y con una voz autoritaria le dijo: "No es que no te acepte, lo que no acepto es esa versión que has hecho de ti misma y de la cual tú y yo sabemos que no te hace feliz. Has creado de tu vida una falsa realidad. Nada de lo que estás viviendo es real, se convirtió en una realidad palpable en el momento que la aceptaste y la sentiste como tal. Todo es sólo una ilusión. La vida es una linda ilusión llena de retos y grandes sorpresas que sólo aquellos que esperan vivirla desde el interior podrán saborear el dulce-amargo sabor de sus frutos. No hay peor engaño que el que nos decimos a nosotros mismos y no hay peor sufrimiento que la incoherencia de querer ser felices y vivir atados a nuestros miedos internos."

Elena escuchaba atenta y sigilosamente a Deborah. En el fondo, deseaba ser como ella, fuerte, astuta y libre de prejuicios y cargas internas. Sin embargo, eran más fuertes sus miedos y culpas de no llenar las expectativas ajenas. Deborah continúo diciéndole:

"La carga interna es la que te detiene
de realizar cosas y seguir el ciclo de tu vida.
Cargas internas como la culpa, el apego, la indiferencia,
la ineptitud, el victimismo, la arrogancia y el ego,
son muros que se construyen día con día.
Al momento que te liberes de esas cadenas
y decidas actuar hacia un nuevo yo, una nueva aventura
y una nueva ilusión aparecerán en tu vida."

Así terminó aquel encuentro entre estas dos mujeres, libres de decir lo que deseaban, pero esclavas de sus pensamientos y sentimientos. Era interesante ver cómo aquellas dos mujeres con tanta valentía en su individualidad, dudaban de su propia valía.

La noche abierta surgió junto con el vacío del silencio, donde las horas pasaron sin sentirse y el arrullo de los árboles que se mecieron con el compás del viento avisó que pronto amanecería. Otro día más de pensamientos, proyectos, ideas y un sinfín de cosas sin hacer o decir.

"LA CARGA INTERNA ES LA QUE TE DETIENE DE REALIZAR COSAS Y SEGUIR EL CICLO DE TU VIDA"

CAPITULO DOS

El tormento

Los días en la ciudad durante el verano parecían únicos, el sol resplandeciente y vibrante. La gente jugando y socializando en las plazas. Había un aire especial ese día. Como si por un momento todo se paralizara y sólo la felicidad resplandeciera en los ojos de la gente. Elena se sentía así. Sentía una paz interior por primera vez en su vida. No pasaba ningún pensamiento en su cabeza. Se sentía tranquila y serena. Se sentía realizada y completa. Era como si la simplicidad de la vida fuera parte de su ser.

Tenía un matrimonio que ante los ojos de los demás era estable y admirable aun cuando su esposo no la tomaba en cuenta. Tenía unos hijos inteligentes y populares. Tenía una casa que causaba suspiros a la gente. Tenía una vida social que mostraba sin parar en cada oportunidad que tenía. Tenía una familia que la buscaba cada vez que había un problema, haciéndola sentir importante y única. Elena sentía que como mujer había cumplido su papel muy bien y a pesar de todos los contratiempos con

Deborah, había cumplido los objetivos que se trazó años atrás desde que era una niña.

Creció planeando como tener la boda perfecta, la familia perfecta, los hijos perfectos, el matrimonio perfecto, las relaciones perfectas y el mundo perfecto, sin darse cuenta que esas pequeñas decisiones cambiarían su futuro o revolverían su pasado. Y de pronto sintió la presencia de Deborah, viniendo de manera sigilosa y cínica.

"¿Elena, en verdad crees que lograrás ser feliz con la vida que llevas? Ni siquiera sabes si eres capaz de hacer escuchar tu voz, vives en una cápsula." -Deborah le decía con burla y sarcasmo.

"Deborah tenía una forma única de hacerme dudar de todos y cada uno de mis pensamientos y decisiones." -se dijo a si misma Elena. "¿Será que tiene razón? -se preguntaba internamente. "¿Será que no soy perfecta y que me he estado auto engañando? ¿Será que ha sido un error seguir las normas implantadas por mi familia y la sociedad? ¿Será que en el fondo soy igual a Deborah y la juzgo y rechazo sin razón alguna?"

Pero una vez más, Elena sólo bajó su cabeza y se alejó sintiendo lastima por sí misma y cuestionando su valor personal.

Había algo diferente en Elena. Ella era obediente, ordenada y con un afán de querer agradar a los demás. Ella quería tener el control de todo y de todos. Estaba en el cuadro de honor y sacaba las mejores calificaciones de la escuela. Hacía todas las tareas del hogar, no levantaba la voz y dormía sus ocho horas. Vestía pulcra y alineada, siempre con una sonrisa y palabras de aliento. Sabía ahorrar sin esfuerzo alguno y cocinar tal como mamá le había enseñado. Tenía planeado su futuro en una exitosa compañía financiera y sabía a la perfección el número de niños que tendría y sus nombres.

Elena vivía en un mundo perfecto. Un mundo que idealizó a corta edad. Sin embargo, no estaba segura si quería esa vida, dudaba que estaría haciendo lo correcto. Sumisa ante otros y por otros, sin cuestionar sus intenciones o deseos. Queriendo ser la mejor hija, amiga, hermana, compañera, ciudadana, pero con un dolor interno de querer saber qué es realmente vivir sin la sumisión a las reglas, deberes impuestos por alguien más o bajo la percepción absoluta de otros.

Al llegar la noche, Elena hizo una reflexión de su vida personal y por un momento todos sus deseos y temores se acumularon rápidamente. Había estado viviendo una vida llena de espejismos por tantos años. No podía creer cómo llegó a ese grado. Es cierto que tenía una vida intachable, un matrimonio envidiable y unos hijos excelentes ante los ojos de los demás, pero sólo ella sabía qué pasaba dentro de su matrimonio y su hogar y no era lo que ella deseaba. Es como si una venda de sus ojos se cayera en el momento en que comenzó a ver con honestidad el trayecto de su vida y la toma de sus decisiones. Sentía un vacío inmenso en su vida y en su corazón. Sentía un profundo deseo de salir corriendo y no voltear atrás y cada día ese dolor interno se apoderaba más de ella y de su mente.

Así transcurrieron los días de Elena, sonriendo y viviendo al compás de las expectaciones ajenas durante el día y consumiéndose bajo su propio llanto por las noches, escondida es su closet. Al final, ese era el único lugar que realmente sentía suyo, el único lugar en el que ella podría desnudarse y verse vulnerable y a la vez encontrar ese aliento y su reflejo en el espejo al verse linda.

Elena se sentía sola, triste, su vida no tenía sentido, no tenía propósito, su vivir cada día consistía en esperar que amaneciera, cumplir con los deberes que ella misma se formaba y otros esperaban de ella y volver a dormir. Era su rutina la que la mataba lentamente. No tenía proyectos personales, se sentía fea, gorda y sin un futuro que esperar. Era como si lo mejor de ella, se estuviera desmoronando poco a poco y junto con ella sus sueños que algún día quiso realizar. Sin esperanza alguna, seguía viviendo su vida con la ilusión de que algún día cambiaría.

Elena comenzó a sentirse así cada día, convirtiéndose esos días en meses y esos meses en años. Era una situación que comenzó a vivir calladamente y sin despertar sospecha alguna. Las personas a su alrededor no podían distinguir tras esa sonrisa perfecta y palabras diseñadas, el verdadero sufrimiento que ella experimentaba. Llegó el momento en que Elena no le veía el sentido a vivir una vida vacía, llena de expectativas inalcanzables y reproches internos. Pero una vez más hizo caso omiso de esta voz que en lo más profundo de su ser, le gritaba que tenía que cambiar, evolucionar, encontrar un propósito en su vida y terminar con el autoengaño.

Un día, al levantarse por la mañana, se miró al espejo y sintió cómo éste le gritó que estaba viviendo su vida con un propósito impuesto por otros donde ante su familia tenía que ser la hija perfecta, ante su marido la mujer competente y equilibrada, ante sus hijos la madre dulce y comprensiva y ante la sociedad la mujer incansable e intachable. Hasta que ocurrió algo impensable; por primera vez, Elena comenzó a cuestionarse a sí misma, no sólo la vida que llevaba, sino cómo llegó a esa situación y en qué momento dejó que las cosas continuaran así.

"¿Y yo? ¿Será todo esto lo que tengo que hacer? ¿Por qué no me llena esta vida por la que luché tanto?" -se preguntó triste y cohibida. "¿Será que tengo que vivir sólo para los demás? ¿Vivir para apoyar incondicionalmente a un marido con sus sueños y metas y estar al pendiente sólo de su éxito? ¿Vivir para unos hijos que no valoran mi presencia y que sólo escuchan a aquél que levanta más alto la voz? y ¿Qué de mis sueños? ¿De ser una empresaria exitosa y recorrer el mundo?" Elena quería con gran ansiedad descubrir en qué momento en su camino se perdió así misma. En qué momento comenzó a dejar de pensar en ella y dejar que la vida sólo pasara.

Elena por primera vez sintió pesar de su vida y cuestionó tantos años de estudio con calificaciones inmaculadas, noches de desvelo y enfoque total que no le habían servido de nada. Aún recuerda a aquella mujer que cuando se proponía algo, lo lograba. Aquella mujer fuerte y con convicciones propias, que en el fondo sabía hacia dónde quería ir. Aun siendo niña, se propuso a sí misma que estudiaría una carrera a pesar de que en su familia, las mujeres se dedicaban al hogar. Con gran esmero y con base en muchos desafíos, logró convencer a su papá de permitirle estudiar, llegando a ser la primera en su clase. Qué decir de las competencias en equitación y ajedrez que ganó a nivel nacional. Los decoros con los que se le aplaudían sus destrezas. Aún recuerda esos retos con gran orgullo e incredulidad. Sabiendo que lo único que le tomó, fue una decisión, la decisión de ser alguien diferente y única. Al igual que se revuelven las olas a la orilla del mar, así se revolvieron los pensamientos de Elena en ese momento, pensamientos llenos de desdenes y contradicciones, que lo único que generaron fueron conclusiones inmaduras. ¿Dónde quedó toda esa entereza y sus ganas de vivir?

Ahí se encontraba Elena sintiendo lastima de sí misma recordando su pasado y la impotencia de no tener el valor de crear un cambio en su vida y ser finalmente ella misma. Era un dolor profundo el que sentía como si todo de pronto no valiera la pena, comenzó a llorar con una agonía interna y desespero. Se preguntaba una y otra vez cómo llegó a esa situación, cómo permitió tanto descuido personal, cómo logró fingir una personalidad que no reconocía, cómo se olvidó de ella misma. Cada lágrima derramada estaba llena de historias y justificaciones que ella misma se contaba. Justificaciones que surgían por el miedo a enfrentar el cambio y vivir lo desconocido, por el miedo a cambiar sus pensamientos y por el miedo a no saber si lo lograría. De pronto, sintió un fuerte golpe en el pecho y como si una voz interna la estuviera escuchando le dijo: "LA MEDIOCRIDAD ES LA JUSTIFICACION DADA A UNA ACCION NO TOMADA." Elena no sabía qué pensar, así que esa noche lloró sin parar y sin consuelo hasta que el cansancio y el sueño la vencieron.

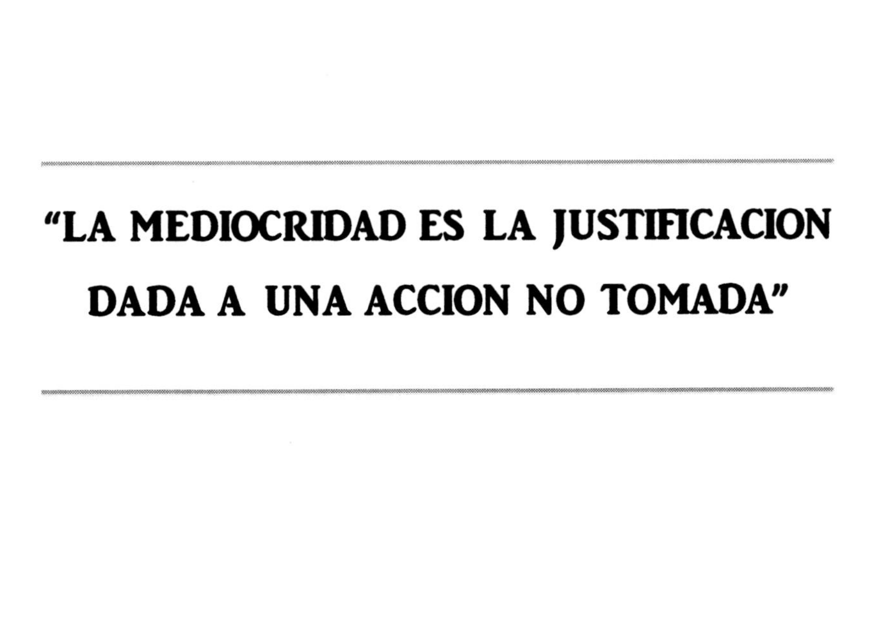
"LA MEDIOCRIDAD ES LA JUSTIFICACION
DADA A UNA ACCION NO TOMADA"

CAPITULO TRES

La vida con Deborah

El día era claro y lleno de vida, al igual que la personalidad de Deborah. No había reto que se le interpusiera, muy en el fondo sabía que cualquier decisión que tomase, llegaría a una conclusión exitosa. Deborah desde pequeña ha sido fuerte, independiente y muy creativa. Ella hacia lo que le parecía correcto a ella misma, sin esperar la aprobación de los demás, sus padres o amigos. Viviendo su vida con una gran velocidad y realizando hasta las más extravagantes actividades. Quería demostrarse a sí misma que en la vida no hay límites, tan sólo esos límites que se pone uno mismo. Estaba en una constante prueba de sus habilidades. Se retaba a sí misma y competía con su propia ideología. Eran interesantes las conversaciones que Deborah mantenía consigo misma, retándose sin piedad y obligándose a enfrentar sus propios miedos.

Al igual que Elena, Deborah ha jugado un papel muy importante en la realización de los sueños y decisiones de Elena. Había estado a su lado en todo momento. Eran inseparables, hasta que un día, Elena comenzó a cambiar su actitud con Deborah, a mostrarse hostil y grosera. Y a pesar de toda la distinción de personalidades y actitudes, Deborah se preocupaba por Elena. Quería verla feliz, quería que a pesar de llevar una vida totalmente diferente a la de ella, fuera feliz. Pero Deborah, sabía que Elena no era así, ella la escuchaba llorar todas las noches y limpiarse las lágrimas al día siguiente, mostrando una sonrisa y una felicidad ante todos. Deborah sentía coraje al ver el rol de víctima que jugaba Elena con ella misma.

Por su parte, Elena creía que era la mejor forma de vivir, dependiendo de los demás, controlando sus sentimientos y estados de invalidez y viviendo débil. Deborah por su parte, sabía que era una mentira y que esa farsa acabaría poco a poco con Elena, sin ella darse cuenta.

"¿Pero por qué no crees que soy feliz?" -cuestionaba sin cesar Elena.

"¿Realmente eres feliz, Elena? ¿No quieres saber qué es vivir una vida sin llanto y decepción cada noche? -preguntó incrédula Deborah. ¿Vivir sólo recordando aquellos momentos en los que eras tú y decidías por ti misma? ¿Vivir con plena liberta de amor propio?"

Una vez más Elena no supo qué contestar, porque aun queriendo permanecer en su papel de mujer perfecta con todo bajo control, dulce, sumisa y abnegada, internamente quería huir, explorar el mundo y vivir desde otra perspectiva.

Al ver a Elena dudosa, triste y sin réplica alguna, Deborah se sentó a su lado y tomándola de los hombros le dijo:

"Hay momentos en la vida en que se tienen que
tomar decisiones que al principio son
difíciles de tomar y que te duelen; te niegas hacerlo,
te pones excusas, te justificas y sigues
actuando de la misma forma. Sin embargo,
no hay peor mentira que aquella que
te dices a ti misma. Es momento de
volar, de salir de este mundo
y explorar uno nuevo."

Elena por un lado quieta y serena escuchaba a Deborah y por el otro quería justificar racionalmente su vida y verle las ventajas. Por ejemplo, se decía a sí misma que el llorar y sentirse vacía era el precio que debía pagar por tener la vida que buscó desde niña. Justificaba la actitud de los demás hacia ella. Se decía que el hombre es más egocéntrico e independiente y por lo tanto su esposo no la buscaba o se interesaba tanto por ella como quisiera. Se decía a sí misma que los hijos sólo entenderán a los padres cuando ellos sean padres también. Elena mentalmente justificaba cada una de las acciones y decisiones ajenas, en lugar de aceptar su propia responsabilidad en su juego de la vida. Se sentía mejor al apuntar los errores en los demás que aceptar la culpa propia.

Sin perder tiempo alguno, Deborah comenzó a decirle: "Pero ¿cuál es el caso de seguir engañándote? Y no sólo a los demás, porque puedes engañarlos en cierta forma, al verte feliz y contenta con tus acciones, pero en el fondo sabes que la única que se engaña eres tú misma. Justificas tu dolor con un engaño, aquel dolor que sientes en el fondo de tu ser, que no sabes cómo llamarlo, cómo hablarle, cómo notar su existencia y que te consume con su falsa verdad. Esa falsa verdad que al principio se vuelve como un bálsamo de miel cayendo en tus oídos y en tu ser, que te dice lo maravillosa que eres y lo feliz que otros te ven. Que se refuerza con cada cumplido, cada palmadita en la espalda, cada comentario de aprobación, cada elogio. Esa falsa verdad que te impulsa a seguir en esa cápsula. Eres una egoísta que está utilizando a los demás para llenar tu vacío interno. Llenando cada uno de tus rincones sedientos de amor, aprobación y control. No te engañes más."

"Al contrario." –contestó Elena sintiéndose ofendida. "Todo lo que hago es para complacer a los demás, no molesto a mi esposo y busco estar a su disposición cuando él lo requiere, estoy al pendiente de todos los deseos de mis hijos y atiendo las necesidades de todos los demás antes que las mías porque eso me hace feliz, porque no soy egoísta. Lo hago porque soy amorosa y quiero la felicidad de los demás antes que la mía."

"Elena, tú misma lo estás diciendo, dependes de las acciones que tomas hacia otros para conseguir felicidad propia. Si eres sabia, actuarás fuera del egoísmo. Te lo digo por experiencia propia, Elena." -Deborah dijo.

"¿De qué estás hablando?" -susurró Elena con un tono de sorpresa.

"Por un tiempo yo me comporté como tú, me quería sentir especial, aceptada, querida, protegida, amada, necesitada." -comenzó su diálogo Deborah. "LA VIDA ES TAN ASTUTA QUE TE DA AQUELLO QUE CREES QUE TE MERECES." "¿Recuerdas cuando desaparecí por un tiempo?" -le preguntó a Elena.

"Sí, lo recuerdo." -contestó ansiosa Elena.

"Desaparecí porque sentía que había encontrado el propósito de mi vida. Estaba logrando tantos sueños, sueños que no creía poder alcanzar. Empecé a triunfar en mi carrera, en mi vida en general y sentía que me lo merecía todo. Comencé primero a justificar porqué escogí esa vida, porqué podía obtener cualquier cosa que deseara aun sin pensar en cómo me afectaría. Mi objetivo era cumplir cada una de mis metas. Llenar mi deseo. Ganar. Con cada meta alcanzada, encontraba una sonrisa, una felicitación, un abrazo, un premio, una satisfacción. Sin percatarme de que al final estaba llenando las expectativas de los demás. Buscaba alcanzar meta tras meta y triunfo tras triunfo sólo por volver a tener ese sentimiento de aceptación, sentir esa admiración o en cierto modo despertar la envidia de los demás hacia mis logros, no porque yo quería crecer y transformarme en un mejor ser humano."

Deborah continúo con su experiencia de vida, esperando hacer entender a Elena que las pretensiones y arrogancia son la primera barrera de la autenticidad.

"El ver en los demás, cómo deseaban tener mi vida, mis triunfos y mis resultados me cegó. Me perdí. No supe más quién era yo. No supe más porqué hacia lo que hacía. Fue muy triste ver que seguía mi camino porque es el que había trazado teniendo en cuenta lo que otros esperaban de mí. Perdí lo más grande que tenía, a mí misma. Qué astucia tiene ese amigo invisible que te muestra un camino lleno de esperanza y justificación, pero que al final sólo te llevará a la perdición. Una perdición de tu ser, de tu esencia, de ti misma."

"¿Y qué cosas hiciste para perderte de esa manera?" -preguntó incrédula y ansiosa Elena.

"Comencé a depender de aquellas personas que necesitaban recibir favores de mí, comencé una búsqueda incesante de amor, de aprobación. Buscaba quién pudiera amarme, quién aprobara mis acciones, a quién le gustaran mis decisiones y me aferraba a su vida y a ese sentimiento complaciendo cada una de sus demandas y deseos. Creía necesitar a esas personas por lo que tenían y me daban, que era su aprobación y en cierta forma una garantía de que estaba haciendo algo con mi vida. Era mi única salida de llenar mi mediocre amor propio." -contestó Deborah.

Este fue un momento muy vulnerable para la poderosa Deborah, el aceptar que se falló a sí misma, que no era tan fuerte como Elena creía, el simple hecho de quitarse la máscara que proyectaba a otros, era un acto de valentía. Deborah sintió la necesidad de contar parte de su vida y que se diera cuenta Elena de que no la estaba juzgando al decirle cómo vivir, sino que ella misma vivió la misma situación y la comprendía.

En este encuentro poco usual, Deborah le confesó a Elena cada una de sus experiencias, incluida la más dolorosa que Deborah ha experimentado, su depresión.

"¿Sabes la verdadera razón de mi hospitalización?" -Deborah le preguntó a Elena.

"¿Fue porque estabas en tratamiento por una anemia?" -contestó Elena.

"Eso fue lo que le hice creer a otros." -contestó Deborah. "Era tan grande mi soberbia que no podía admitir que yo, una mujer fuerte y con éxito podría sufrir de depresión y sentir un fracaso de esa magnitud. Me preocupaba lo que otros pensaran de mí, que la gente me criticara y perdiera la imagen que internamente creía que tenían. Me perdí de tantas cosas por no entender que en esta vida todo es un proceso, un proceso que comienza al momento en que entiendes el autoengaño."

Elena escuchaba atónita a Deborah sintiendo por primera vez una gran conexión y empatía con ella y su vida.

"¿Sabes? También durante este proceso aprendí tantas cosas y grandes perspectivas de personas que han navegado el proceso del *autoengaño* en crisis tales como la depresión, el divorcio, la enfermedad y que al final, puedo decirte que todo es sólo una ilusión y que el *verdadero valor o significado de la vida es aquél que te generas y das a ti misma.*"

"¿Pero qué cosa se puede aprender del autoengaño o de alguna crisis? Algunas de esas cosas que pasan no son culpa tuya." -comentó Elena.

Deborah volteó la mirada hacia Elena y la vio con gran curiosidad y le dijo: "Ahí comienza todo, al creer que algunas cosas no son tu culpa y justificar cada uno de tus actos. Al final es más fácil encontrar excusas, justificaciones, pretextos o ideas ajenas a la realidad que enfrentar tu propia vida."

Así que Deborah comenzó su recorrido en sus memorias y a relatar aquellas vivencias de autoconocimiento que un ser humano experimenta en donde el autoengaño es sólo un espejismo para seguir hundidos en nuestro dolor y sufrimiento.

"LA VIDA ES TAN ASTUTA QUE TE DA
AQUELLO QUE CREES QUE TE MERECES"

HISTORIA DE VIDA

Claudia

CAPITULO CUATRO

Falacia

Hipnotizada por las fotos colgadas en la pared de su oficina se encontraba Claudia. “Un día más.” -se decía a sí misma. En realidad, no recuerda cuánto tiempo ha estado viviendo así, viviendo día tras día las mismas rutinas y escuchando sus mismos diálogos mentales. Por un tiempo, esto no parecería molestarla, vivía su vida sin pena alguna. Tenía tantas metas, sueños y ganas por vivir. Fue al pasar los años que comenzó a cuestionar sus decisiones y el rumbo que estaba tomando su vida.

Claudia era una mujer que comenzó a experimentar grandes retos desde una edad muy temprana. Fue abandonada en el hospital el mismo día en que nació y comenzando así una vida de complacencias hacia los demás. Desde pequeña fue una niña muy sensible con un deseo interno de la aprobación ajena y encontrar en otros un poco de aceptación. Por otro lado, también recuerda pasar gran parte de su infancia solitaria en un arroyo rodeada de árboles altos y frondosos, donde se encontraba un tronco gigantesco, en el cual se la pasaba cruzando una y otra vez. Durante esos momentos en los que se pasaba las horas nadando y hablando con la naturaleza, se sentía libre y poderosa. Se sentía querida y bienvenida. Nadie cuestionaba su presencia, su existencia. Podía apreciar entre la fragilidad de una flor y la rapidez de un pez. Se recuerda a sí misma sentirse aceptada por la naturaleza a pesar de sentirse marginada por haber sido huérfana y haber vivido en una casa hogar.

Claudia recordaba cómo día con día esperaba la visita de alguna pareja que deseara llevarla a su casa y formar parte de una familia; sin embargo, ese día nunca llegó. El día que llegó fue cuando al cumplir 18 años, debía dejar la casa hogar y comenzar su vida de forma independiente. Ese fue un golpe fuerte para Claudia, el tener que empezar a vivir en un mundo desconocido, sin las caras familiares de las personas que la cuidaban o de los niños con los que compartía día con día. Pero sobre todo tener que dejar su pequeño mundo al lado del arroyo. Llegó ese momento en el que ella tenía que buscar su propio camino, lejos de todo lo que conocía.

Al salir de la casa hogar, Claudia se prometió a sí misma que algún día tendría todo aquello que desde su niñez deseaba, costara lo que le costara. Se prometió que viviría para cumplir sus metas y deseos. Deseaba una familia, un trabajo, amor, aceptación, libertad, sin darse cuenta de que lo que en verdad la haría feliz estaba en ella misma.

Un 10 de noviembre, Claudia tuvo que dejar la casa hogar. Fue un día lleno de despedidas tristes, dejando atrás todo lo que ella conocía, vivía y esperaba cada día. Las mujeres que la cuidaban lograron contactar un lugar en donde Claudia podría alojarse y le podrían facilitar un trabajo, dándole la oportunidad de empezar su propia independencia.

Al salir de la casa hogar, Claudia comenzó una gran búsqueda de identidad propia y aceptación ajena, llevándola a tomar decisiones precipitadas. Comenzó a relacionarse con hombres que la maltrataron, la engañaban y la hacían sentir que no tenía valor alguno. Claudia, en su afán de sentirse querida y recibir un poco de atención, soportó y justificó cada uno de estos actos, tanto los de sus parejas como los de ella misma que fueron elevándose cada vez más. Comenzó a trabajar en lugares que no le proporcionaban ningún tipo de placer con el simple motivo de sentirse útil. Vivió su vida buscando aprobación a costa de cualquier cosa que, en su mente, sería lo que le agregaría valor como persona. Sin el apoyo de una familia, amigos cercanos o un grupo de apoyo, Claudia comenzó a sumergirse en el vicio del alcohol. En cierta forma, al sentirse ahogada y adormecida por los efectos de éste, se alejaba de su dolor y ponía pausa a su agonía.

Así transcurrieron los años de juventud de Claudia, trabajando durante el día, llegando en la noche a un lugar donde le quitaban su dinero y se le golpeaba y donde su único consuelo era esa botella escondida en la parte inferior de su lavaplatos. Sólo esperaba el momento en que el hombre en turno se fuera de la casa para ella comenzar a sentirse libre y perdida mentalmente. El alcohol la hacía olvidar su realidad, suavizaba el dolor de los golpes y la hacía sentirse sumergida bajo un eco silencioso y tranquilo. En esos momentos de camaradería personal con su botella, Claudia se decía a si misma: "Bueno, podría estar peor, por lo menos no me drogo." Creciendo así su nivel de justificación y aceptación cada vez más.

Aún recuerda el momento en que justificó cuando su primer novio la humilló y le gritó, diciéndose a sí misma: "Fue mi culpa que se enojara, yo lo hice enojar." Después, ya no sólo eran gritos sino amenazas psicológicas. Fue hasta el día en que su pareja actual la golpeó tan duro y le quitó el dinero que había ganado, que Claudia no pudo más. Se preguntaba a sí misma porqué tenía que pagar un precio tan caro para tener lo que nunca tuvo. Así que comenzó su búsqueda por una respuesta y lo que logró fue su propio autoconocimiento.

Deborah cruzó su vida con Claudia cuando hizo un servicio social en un programa de rehabilitación. Al término de este programa, Deborah y Claudia se hicieron grandes amigas. Ambas mujeres tenían tanto en común y a la misma vez eran tan diferentes. Sin embargo, eran esas diferencias que las hacia unirse cada vez más. Al crecer esta amistad, Claudia compartió tantas cosas y experiencias de vida, pero sobre todo cómo aprendió que la vida y el valor de una persona comienzan desde el interior, tomando decisiones bajo nuestras propias expectativas. Es a través de ese autoconocimiento que nos libera del miedo y el cual no se obtiene al instante, sino que es un proceso largo y profundo obtenido a través de la vida, de experiencias propias y ajenas y a través de la decisión y honestidad, no hacia los demás, sino hacia uno mismo.

Durante sus encuentros, Deborah se preguntaba a sí misma: ¿Cómo uno llega a la conclusión de querer cambiar de vida? ¿Cómo uno llega al momento de tomar decisiones y hacer cambios que, de otra forma, acabarían lentamente contigo?

Claudia, durante una cena que tuvieron, le mencionó que *el verdadero éxito viene a través de los cambios a los que uno se adapta y no a los retos a los que uno se enfrenta*. Es en esos momentos de cambio que podemos ajustar nuestras decisiones y por consecuencia cambiar nuestra vida y nuestros resultados.

"Se dice que aquellas cosas que no entendemos, son las que más rechazamos." -comenzaba a narrar Claudia. "Eso yo lo viví. Aún después de haber cumplido uno de mis grandes sueños de tener un gran trabajo y ser independiente, no entendía por qué mis parejas me maltrataban y en consecuencia me sentía inútil y no valorada. Perdí la confianza en mí misma, en mi capacidad de lograr mis metas, perdí mi coraje por salir adelante y encontrar nuevos caminos de superación y desarrollo. Me sentía fea, pobre, inútil, cobarde y fui renunciando poco a poco a mi vida y sólo encontraba consuelo a través del alcohol." -entre sollozos, narraba su experiencia Claudia. "Comencé a existir en lugar de vivir."

Deborah se preguntaba cómo siendo Claudia una mujer inteligente, llena de ideas propias y haber salido adelante por sí sola sin el apoyo que muchos llegan a tener, podría sentirse de esa forma.

Claudia narraba como su búsqueda por aprobación y amor de los demás la fue cegando al grado de no distinguir el maltrato psicológico, físico, mental y moral que aceptaba por recibir un par de palabras dulces o una muestra seca de amor. Era más duro para ella el estar sola que el aceptar las pocas muestras de amor.

"¿Cuál fue el punto en que te diste cuenta de que no querías más seguir viviendo así?" -Deborah preguntaba.

"En el momento en que entendí que cada vez que aumentaban los niveles de dolor los aceptaba y soportaba con mayor facilidad. Llegué a categorizarme por la cantidad de dolor que soportaba." -Claudia relataba pausadamente. "Había días en que justificaba estos comportamientos y me sentía culpable por haberlos provocado y terminaba pidiendo perdón. Pedía perdón por no llegar a ser la mujer que otros esperaban, pedía perdón por no ser tan bonita como otras, pedía perdón por ser mujer, pedía perdón por ser huérfana, perdía perdón por ser yo misma, pedía perdón por existir. Eso, te acaba lenta y profundamente."

Claudia recordaba cómo en esos días en los que se perdía en el alcohol después de alguna golpiza o insultos, recordaba a la niña alegre que se paseaba por el arroyo y se imagina su vida tan distinta. Se sentía culpable de haberse fallado a sí misma y a todas las promesas que algún día se hizo.

Deborah podía sentir el dolor de Claudia en cada una de sus palabras, sobre todo al hablar de sus promesas no cumplidas.

Claudia, después de una larga pausa, comenzó a buscar dentro de sí misma el momento en el que comenzó a crear un cambio para sí misma y los pasos que tomó para salir de su situación. De pronto dijo:

"¿Sabes Deborah? Hubo momentos en que no sabía qué hacer o qué pensar. Sin embargo, el primer paso y el más desafiante fue el reconocer que yo era responsable de mi vida. Que el amor y aprobación que deseaba de otros tenía que empezar primero conmigo misma. Comencé un dialogo profundo y deseché todos aquellos pensamientos caóticos sobre mi existencia que llenaban mi mente cada segundo." Eran esos diálogos interminables que Claudia tenia consigo misma los que la hacían inmovilizarse ya que no podía identificar qué sentía o pensaba realmente.

"Me tomó mucho tiempo lograrlo, primero aceptar que yo misma me estaba causando mi situación y segundo, el tener el valor de identificar mis pensamientos y pararlos antes de que estos me pararan a mí." -orgullosa de sí misma narraba Claudia. "Los pensamientos que más poder tenían sobre mí eran: 'no vales nada, ni tus padres te quisieron.' 'Agradece que por lo menos alguien te soporta.' 'A mujeres como tú, nadie las quiere.' 'Mejor toma, así te olvidas de tus problemas.' '¿Quién va a querer a alguien como tú?' Fue el cuestionar estos pensamientos y qué tan ciertos eran, lo que me ayudó poco a poco a ver mi realidad."

El cuestionamiento propio fue un proceso largo y lento que Claudia comenzó a dominar poco a poco y día a día.

"Después, comencé a celebrar cada una de mis decisiones, acciones y logros por muy pequeños que estos fueran. Me di cuenta de que, al hacerlo, la culpa y la crítica que surgían dentro de mí fueron perdiendo su poder e influencia. El siguiente paso fue comenzar a buscar ayuda, algo que me costó mucho, ya que pensaba y sentía que el pedir ayuda me hacía débil. Comprendí mucho tiempo después que es todo lo contrario. El pedir ayuda es un gran signo de fuerza, ya que permites que otros vean tu vulnerabilidad al confiar completamente en ellos. Me di cuenta también que, si deseaba tener una relación honesta con alguien más, tenía que empezar a tener esa relación honesta conmigo misma primero. Aprendí a comunicarme mis necesidades primero a mí y después comunicárselas a otros." - Claudia terminó su relato con una gran sonrisa de satisfacción y logro.

Deborah se cuestionaba personalmente sobre el tiempo que a una persona le toma llegar a esta conclusión. ¿Será acaso cosa de actitud, o simplemente es algo con lo que ya nacemos?

De pronto, era como si Claudia hubiera leído la mente de Deborah y contestó:

"Personalmente a mí me tomó mucho tiempo y esfuerzo el reconocer que a pesar de cualquier crisis por la que uno esté pasando, nosotros mismos tenemos el poder de cambiar en cualquier instante. El entender que yo misma me estaba auto engañando. El darme cuenta de que nadie tiene obligación alguna de crearme una vida satisfactoria, sino que yo soy la que tengo la capacidad de hacerlo. El entender que era mi responsabilidad hacerme cargo de cada área de mi vida por muy complicada que esta fuera. El entender que tenía que seguir intentando una y otra vez y no esperar de mí algún cambio radicalmente. Todo es un proceso. El entender que llegarían momentos de duda y miedo cuando intentara dejar relaciones abusivas y perdonarme a mí misma por no lograrlo. El entender que cuando me prometía algo y no lo cumplía, me alejaba de mi objetivo, pero podía intentarlo una vez más. El entender que cuando tomaba para olvidarme de mis presiones o cuando cometía errores, era mi forma de escape para no enfrentar mi realidad. El alentarme con cada uno de mis pequeños logros en lugar de atacarme o menospreciarme, me ayudó a rendirme ante mí misma y encontrar nuevas formas de obtener un poder personal."

Al ir escuchando a Claudia, Deborah analizaba la importancia y asertividad de estas palabras: "Celebrar nuestros pequeños logros en lugar de atacarnos o menospreciarnos." Cuánto tiempo pasamos menospreciándonos o atacándonos al no llenar ciertas expectativas o cumplir ciertas metas. Cuántos cuentos y obstáculos imaginarios nos ponemos ante nosotros mismos. Cuántas justificaciones creamos para no intentar una vez más. *Vivimos en esa lucha constante de lo que la mente nos dice y el espíritu nos reclama.*

"¿Que tan fácil o difícil fue para ti manejar tu mundo emocional?" -preguntó Deborah.

"No, no fue fácil, contestó Claudia. No es fácil experimentar dolor, miedo, desesperación y ansiedad. No es fácil pensar una cosa y querer hacer algo más. No es fácil callar esa voz interna que te hace dudar de tu capacidad. No es fácil admitir que te has fallado. No es fácil aceptar que no estás bien. Personalmente, estas emociones me hacían bloquearme y no ver más allá de mi propia miseria. Si uno no llega a darse cuenta, uno solo llega a alimentarlas día con día, generándoles más poder y dominio sobre ti."

"Yo lo he sentido así en mi vida en algunas ocasiones" -compartía Deborah. "Y por más que traté de evitarlas, mis emociones se hacían más fuertes, creando dudas interminables en mí misma."

"Así es Deborah." -contestó Claudia. "Hay un constante enfrentamiento entre lo que piensas, sientes, dices y haces. ¿Sabes qué fue lo que me ayudó a mí a lidiar con esto?"

"No."- respondió Deborah.

"El permitirme sentir estas emociones en lugar de ocultarlas, reprimirlas o adormecerlas con actividades, trabajo, relaciones abusivas o alcohol, como fue en mi caso." -decía con una gran sinceridad Claudia. "Erróneamente pensé que al ocultar lo que sentía, pronto desaparecía y así fue, por un tiempo. Lo que no me di cuenta fue que lo que yo sentía continuaría viviendo en mí y saldría tarde o temprano a recordarme que esas emociones eran parte de mí y se generaban en mí. Algunas por corto y otras por largo plazo. Yo era la que les daba vida, las alimentaba y las mantenía dentro de mí."

Esta fue una gran enseñanza para Deborah, el entender que *nuestras emociones y pensamientos son parte de uno* y que están ahí para darnos pistas sobre aquello en lo que tenemos que trabajar en nosotros mismos y lo que tenemos que enfrentar. Ese es el primer paso: detectar, transformar y guiar nuestras emociones como acompañantes de vida hacia nuevas aventuras.

Claudia se dio cuenta de que aquello que uno rechaza, uno atrae. En su caso, todo aquello que ella rechazaba se le presentaba con diferentes caras, diferentes nombres, diferentes conflictos y diferentes situaciones, moldeándola a su antojo y creando una vida que ella no esperaba.

Deborah reconocía la sabiduría interna que tenía esta mujer y absorbía con gran interés cada una de sus palabras.

El camino recorrido por Claudia hacia sí misma fue largo; sin embargo, como ella lo expresó: "El camino que me tomó llegar a sentir esta paz que ahora siento fue largo porque me negaba a entender que mi situación es sólo eso, una situación, un momento. Yo era la que tenía el poder de cambiarla. Me hice dependiente a la aprobación, amor, expectativa y aceptación ajena, sin darme cuenta de que ligaba todas y cada una de mis experiencias al hecho de que fui huérfana. Me aferraba por cambiar esa realidad, cuando tenía que aceptar que mi pasado no era una copia idéntica de mi futuro. Ésa era mi excusa, mi escudo y mi perdición."

Deborah y Claudia siguieron recordando y aprendiendo de sus experiencias pasadas conforme pasaba el tiempo y sus encuentros se hacían más frecuentes. A pesar de que Deborah conoció a Claudia cuando estaba haciendo grandes cambios en su vida, pudo darse cuenta de aquella hermosa transformación que experimentaba esta mujer durante el tiempo que la conoció. Claudia no sólo terminó su programa de rehabilitación con gran éxito, también dejó de relacionarse con hombres que la maltrataban y comenzó a crear una relación sana consigo misma.

Deborah aprendió de este encuentro con Claudia que uno tiene un gran valor y que el simple hecho de nacer en circunstancias diferentes, no te quitan o agregan ventaja alguna. Así que dejó ella misma de *ALIMENTAR SU PASADO Y ENVENAR SU FUTURO.*

“EL VERDADERO ÉXITO VIENE A TRAVES DE LOS CAMBIOS A LOS QUE UNO SE ADAPTA Y NO A LOS RETOS QUE UNO ENFRENTA”

HISTORIA DE VIDA

Carolina

CAPITULO CINCO

Depresión

En un momento de reflexión, Deborah recordaba las experiencias y aprendizajes de aquellas mujeres que compartieron con ella. Se dio cuenta de cómo la vivencia de ciertas experiencias a través de una crisis puede llevarte a un autoengaño silencioso. Sin embargo, todas y cada una de estas mujeres aprendieron que desde ahí es donde el verdadero cambio comienza y el deseo de seguir viviendo florece. Tal como en el caso de Carolina, una mujer fuerte y decidida…

Era un día lleno de tareas y compromisos que cumplir, Deborah asistió a un evento al que fue invitada por una de sus amigas. Cuando decidió ir al baño a retocarse su maquillaje, fue en el momento que vio por primera vez a Carolina; era una mujer con una presencia elegante y una confianza en sí misma que te hacían voltear a verla. Compartieron un par de palabras y una goma de mascar y procedieron a ir a sus respectivas mesas. Sin embargo, al transcurrir la noche, el encuentro nuevamente con Carolina fue inevitable, charlaron largas horas, comenzando ahí una gran amistad.

Esta amistad de Deborah y Carolina creció a través de los meses sin por un momento darse cuenta una de la otra del dolor, tristeza, soledad y frustración que vivieron internamente cada una de ellas. *Al final uno mismo deja ver sólo aquello que deseamos que otros vean.*

Hasta que una noche después de ir a tomar un café, Carolina enfrentó su propio autoengaño y con gran honestidad dijo: "¿Sabes Deborah? Ha pasado casi un año, cómo ha dado vueltas la vida y me ha llevado por caminos que ni por un instante pensé o me imaginé que podría vivir. He estado en una lucha mental, emocional y física. Las pruebas que he experimentado creí superarlas; sin embargo, no se supera la vida con sólo desearlo o esperarlo, hay que vivirlo." -decía Carolina.

Deborah, al escuchar esta declaración, se quedó callada. Un silencio las envolvió por unos minutos, viéndose a los ojos y diciendo todo sin el uso de palabra alguna. No había expectativas, no había preguntas, no había juicios.

Carolina continuó con su diálogo, que a pesar de que se dirigía a Deborah, hablaba como si se dirigiera a sí misma. Era como si ese diálogo interno que la atormentaba cobrara vida en ese instante.

"¿Sabes qué es lo más doloroso que he experimentado en mi vida, Deborah? Mi depresión." -continuaba Carolina. "Esta depresión que me ha acompañado por décadas. He pasado días completos llorando sin razón alguna, sin ganas de comer, de pararme de la cama, sin un sueño, esperanza o dicha alguna. El vivir con depresión es como vivir con un tormento eterno que se enciende en el momento en que abres tus ojos y te oprime hasta dejarte vacío poco a poco. Es una culpa interna de tener todo lo que quieres y no disfrutarlo porque no sabes cómo. Hace algunos años, esta depresión se convirtió en crónica, muy fuerte, que me llevó a creer que la mejor manera de dejar de sufrir es dejando de vivir. Porque la vida misma era un sufrimiento."

Ahí se encontraba Deborah, escuchando atónita esta descripción de algo que personalmente vivía y conocía a detalle. Se preguntaba cómo la vida te pone maestros en tu camino, para hacerte ver tu propio reflejo y para encontrar esas respuestas tan anheladas. Sin perder tiempo alguno Deborah le preguntó: "¿Y no crees que dejar de vivir es una conclusión y decisión muy cobarde?" -sabiendo que esa pregunta se la hacía ella misma noche tras noche.

"Si, yo sé que es una solución fácil y cobarde al fin, cobarde al no querer pensar en el motivo del sufrimiento, el motivo de las ideas tristes, imágenes y pensamientos que corren sin parar en mi cabeza." -narraba Carolina. "Pero llegué a un momento en que no le encontré sentido a mi vida. No pude explicarme cómo por lo que tanto corrí y rechacé, lo estaba experimentado nuevamente una y otra vez. Cómo había trabajado tanto por tantos años para tener un hogar, un trabajo firme, un proyecto constante y una visión al futuro clara y aun así no era feliz. Día con día me decía: 'Deja de engañarte a ti misma. Te has dejado morir lentamente, esperando que otros solucionen la vida que quieres y esperando una guía lista para ser conquistada.' Esto me repetí día tras día. Y, aun así, no sabía cómo salir de esa situación, cómo superar la depresión, cómo volver a vivir. Fue en esas noches en mi desesperación, angustia y ansiedad, que me bloqueaban mi pensamiento y me orillaba a pensar en la salida más fácil: la muerte."

Carolina explicaba su cansancio de aparentar ser quien no era, de sonreír e ir tras sueños equivocados y al final darse cuenta de que no eran sus sueños, no eran sus metas y no sabía ni quién era ella misma en realidad.

"¿Cuántas veces pensaste en el suicidio?" -comentó Deborah, sabiendo en el fondo que ella sintió el mismo deseo un par de veces.

"Muchas veces, pensaba minuto a minuto como podría ser mi partida de este mundo." -avergonzada comentaba Carolina. "Y aún en esos momentos, la soberbia se hacía presente sin pudor alguno. Mi misma cobardía de no seguir luchando me hacía imaginar aquellas formas de acabar con mi tortura de una manera rápida y sin dolor. Hasta en eso no quería sufrir. Hasta en eso buscaba la solución más fácil y rápida."

Ahí se encontraban en este dialogo intenso y que pocos seres humanos se atreven a hablar. En donde el deseo constante de evitar el dolor nos lleva a buscar formas ilusas de acabar con él, en lugar de sentirlo, aprender de él y hacer cambios necesarios que nos lleven a nuevos aprendizajes.

"¿Y cuáles fueron tus soluciones para acabar con tu angustia? -preguntó Deborah sin juicio alguno.

"La más triste de todas." -contestó Carolina. "El suicidio. Eran las dos de la tarde, seguía acostada en mi cama por más de 3 días consecutivos, no paraba de llorar, de maldecir, de lamerme mis heridas y tenerme lástima. No paraba de buscar una excusa que me llevara a tomar la decisión de terminar con ese dolor. Ya no me salían lágrimas, mi pecho me dolía de tanto sollozo, mis ojos me ardían y mi mente me torturaba. Fue en ese momento de desesperación que decidí tomarme un frasco completo de pastillas para dormir. No quería morir, sólo quería dejar de pensar, dejar de sentir, dejar de sufrir por un momento."

Carolina continúo con su relato de aquella vez en que decidió acabar con su vida, seguida de meses completos con una depresión aguda y de la cual nadie había notado o les había mencionado de forma alguna. Al final no era algo que Carolina se sentía orgullosa de admitir. Su egocentrismo no le permitiría aceptar que era débil y vulnerable, manteniéndola en el dolor. Era un dolor que en su propio ego quería sufrir sola.

Cinco días después Carolina despertó en la sala de un hospital con tubos insertados en su garganta, una amiga la encontró en el suelo de su casa después de haber ido a buscarla para trabajar en un proyecto que hacían juntas. Al abrir los ojos en el hospital, Carolina sintió pesar, vergüenza de sí misma y una culpa indescriptible. No quería enfrentar las consecuencias de sus actos, no quería explicar por qué lo hizo, no quería ser cuestionada, no quería recordar.

Deborah se imaginaba que esa pudo haber sido su experiencia misma, ya que al igual que Carolina un par de veces le ha pasado por la cabeza esa solución. Así que deseaba encontrar en la experiencia de Carolina una respuesta para sí misma.

"¿Sabes? Por un momento me asaltaron las dudas por la decisión que deseaba tomar." -narraba Carolina. "Venían a mi mente varias justificaciones del porqué estaba en lo correcto y por otro lado esa culpa interminable de que no me pertenecía a mí tomar esa decisión. Pasaba por mi mente todo lo vivido y todo lo que podía suceder y el dolor que podría causarle a la gente que me apreciaba. Sin embargo, nada de eso tiene importancia en esos momentos, ni las culpas, ni los momentos vividos, ni el posible futuro, NADA, lo único que quería era dejar de existir y así dejar de sufrir. *El sufrimiento es tan egoísta que no permite cómplices.* ¿Sabes qué aprendí personalmente al engañarme así?" -preguntó Carolina.

"No, no lo sé" -murmuró Deborah agachada, como si la culpa que ella ha sentido varias veces por pensar así se reflejara en su voz y su rostro.

"Pues bien, aprendí que es necesario reconocer y retener la lección de aquello que vivimos. En mi caso, no sabía o no quería reconocer qué lección tenía que aprender, así que la vida me hizo experimentar una y otra vez mi propia crisis y así valorar la enseñanza." -cabizbaja recordaba Carolina. "Hay transiciones en la vida a las que no le encontramos alguna explicación, y nosotros le agregamos el dolor y victimismo. En cualquier tipo de estas situaciones, uno mismo busca la justificación a nuestros fracasos, a nuestras decisiones, a nuestra falta de coraje y acción, cegándose uno mismo a ver o buscar la salida y cayendo en un autoengaño justificado. Porque al final, eres tú quien está contando la historia."

Carolina seguía su narración de las muchas veces que deseó ser alguien más, de las veces que las apariencias la hacían desear una vida diferente, las veces que valoraba otras cosas más que su propia vida, las veces que se enojaba consigo misma al tomar cierta acción, pero, sobre todo, las veces que, al engañarse de su aparente fortaleza, sólo la hacía sentirse más débil.

"Aprendí que la depresión es algo con lo que se trabaja día con día, hay días que te crees invencible y puedes lograr todo lo que te propongas y hay otros en los que no sabes cómo has logrado vivir hasta este momento. Sin embargo, personalmente he aprendido que uno debe tenerse paciencia en esos momentos de confusión y aprender a navegar con tus pensamientos, sentimientos y guiar tu mente." -compartió Carolina. *"Al final uno no decide qué sentir, pero sí podemos decidir qué hacer con lo que sentimos."*

"Pero esa es una lucha interna que no muchos sabemos ganar." -Deborah contestó curiosa.

"¿Y sabes por qué?" -preguntó Carolina. "Porque no vivimos en el presente, tenemos esa obsesión absurda de estar recordando el pasado e inventar un futuro como forma de escape. Vivimos reviviendo historias y experiencias que nos lastimaron y queremos encontrarles una solución en el presente, creando sólo conflicto en nosotros mismos. Vivimos sin tomar RESPONSABILIDAD POR NUESTRA PROPIA VIDA. Vivimos jugando el papel de víctimas y otorgando nuestro poder a alguien más. Vivimos en la maldita necedad de querer cambiar los hechos en lugar de amoldarnos al cambio. Sin entender que, así como somos los creadores de nuestra propia miseria, somos los creadores de nuestra propia libertad."

"Pero es que así hemos vivido todo el tiempo." -contestó Deborah.

"¿Y acaso el vivir así nos ha llevado a una vida más completa y feliz?" -cuestionó Carolina, mirando con una gran empatía hacia Deborah. "Cuando comencé a ser sincera conmigo misma y dejar de auto engañarme, aprendí que en los momentos de confusión tenía que parar y simplemente respirar, en lugar de crear una novela sobre lo que pudo o no pudo pasar. Fue en esos momentos de quietud que pude identificar realmente mis sentimientos, pensamientos y hacer algo al respecto."

Deborah escuchaba con gran atención y le hacía sentido lo que Carolina le decía. Ella misma recordaba cómo en los momentos de frustración y confusión era cuando más ella quería respuestas, demandaba soluciones, cuestionaba y le daba toda su atención, creando el problema más grande.

"Ahora en el momento en que se me presenta un desafío, simplemente me detengo completamente sin cuestionar, sin darle atención alguna y es cuando mi mente se aclara y mi paz regresa." -Carolina compartía con gran gusto sus acciones. "Y cuando me surgen pensamientos negativos, los acepto, acepto que están dentro de mí y que yo los cree. Luego los aparto a un lugar separado de todos mis deseos y proyectos de vida y les doy la despedida. Sólo cuando estoy a cargo de mi propia vida y tomo la responsabilidad de mi propia mente, es cuando el enojo, frustración o depresión comienzan a desaparecer. Déjame decirte que no todo el tiempo salgo triunfadora, hay momentos en que haga lo que haga me siento en el limbo, perdida y sin claridad alguna y aun en esos momentos, me quiero y acepto."

"Pero ¿cómo apartar pensamientos negativos de ti sin crear un estrés por no resolver los problemas?" -preguntó con gran curiosidad Deborah.

"Bueno, primeramente, déjales saber que les agradeces su presencia y participación, pero que en estos momentos te enfocaras en otra acción y tomarás otra decisión. Por otra parte, estos pensamientos querrán hacerte creer que no es la mejor decisión y que dejarlos afuera de la toma de decisiones, te ocasionará más problemas y fracasos. Sin embargo, tu astucia tendrá que ser muy sigilosa y discernir que tu papel no es convencerlos y razonar con ellos, tu papel es agradecerle esos pensamientos y voltear tu atención a aquello que te mostrará otro camino. Estos pensamientos, deseos o sentimientos gritarán, patalearán y querrán llamar tu atención creando otros sentimientos e imágenes de posibles resultados. Bórralos inmediatamente, tú tienes el control de lo que aparece en tu mente y lo que no, el más mínimo desliz en este procedimiento te hará dudar de ti y tu capacidad de alcanzar tus metas y tomar tus decisiones." -narraba Carolina. "Recuerda, *no tienes que socializar con tus enemigos, aun si viven adentro de ti*. Todo pasa en una milésima de segundo."

"¿Sabes? Yo me he sentido así en muchas ocasiones, me siento tan triste, desvalida, sin ganas de hacer nada, sin metas y sin alegría alguna de vivir. Y me da tanta impotencia tener que salir y mostrarme fuerte y decidida ante el mundo, cuando lo único que quiero es estar tranquila y ser feliz." -comenzó a compartir sus sentimientos Deborah.

"¿Y quién te pide que seas fuerte y decidida?" -contestó Carolina.

Era interesante cómo estas dos mujeres aun pasando por la misma situación, en diferentes niveles, podían ayudarse mutuamente, ya que ambas entendían el dolor mutuo. Deborah quedó en silencio, pensaba y analizaba su respuesta antes de darla.

"Nadie." –contesto Deborah. "Yo misma he creído que necesito hacerlo. He crecido con esa imagen de mí misma, la gente a mi alrededor me conoce así y pienso que esperan eso de mí todo el tiempo."

"Que irónica es la vida, ¿no crees Deborah?" -volteando hacia el cielo levantó su mirada Carolina. "Vivimos creyendo que otros esperan algo de nosotros, que desean vernos de cierta forma o comportarnos de cierta manera. Sin embargo, probablemente ellos están tan sumergidos en sus propias ideas, vidas o creencias, sin importarles cómo somos nosotros en realidad. Viviendo todos en un mundo falso, lleno de máscaras con agonías internas. Cuando la solución está en sólo preguntar."

"¿Preguntar? ¿A quién y qué tenemos que preguntar?"-contestó de prisa y con gran duda Deborah.

"Sería bueno preguntarnos a nosotros mismos si somos felices aparentando una vida que no es y tal vez sería inteligente preguntar a otros qué esperan de nosotros." -Carolina sin miedo alguno dijo lo que su corazón le indicó. "A veces he creído que aquellas personas que nos aprecian sinceramente, sólo desean vernos felices y aquellos que no nos tienen en alta estima, sólo quieren vernos fracasar. Sin embargo, vivimos luchando por agradar a los que nos ignoran y mostrar que somos alguien más, ensalzando nuestro ego y humillando a nuestro propio espíritu."

"Al estar cerca de la muerte, he aprendido que el aparentar ser una mujer fuerte que no se equivoca no es la solución, al menos no para mí." -Carolina dijo mirando fijamente a los ojos a Deborah. "Me di cuenta de que la vida tiene transiciones y que nosotros tenemos el control de guiar, no sólo nuestros pensamientos sino nuestra vida a través de nuestras decisiones y acciones. Entendí que en el momento en que juego el papel de víctima, mis opciones se limitan y entrego mi poder a otros o a las circunstancias, perdiendo así mi paz interna. Entendí que yo tengo el poder de moldear, aceptar o rechazar aquello que me ayuda o perjudica. Algo que no se logra con sólo pensarlo, sino a través del autoconocimiento y la honestidad hacia uno mismo. Es un proceso que requiere de mucha paciencia. Fácil no es, pero imposible tampoco."

Deborah, sentada frente a esta mujer, sintió como la mirada y palabras de Carolina llegaban a su alma y le gritaban cómo ella misma ha estado alimentando su propia depresión a través de los años. Cómo sus diálogos internos la han llevado a crear una realidad que la consume lentamente.

¿Acaso será que nuestro propio masoquismo nos impide ver qué tan valiosos somos?

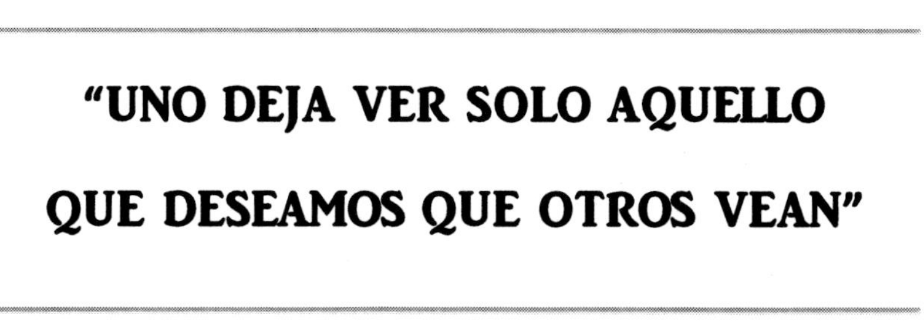
"UNO DEJA VER SOLO AQUELLO
QUE DESEAMOS QUE OTROS VEAN"

HISTORIA DE VIDA

Judith

CAPITULO SEIS

Divorcio

Eran las dos de la mañana, día sábado, sentada frente al televisor viendo fajas para bajar de peso, se encontraba Judith, recorriendo en su mente minuto tras minuto la misma pregunta: "¿Qué pasó? ¿Dónde se perdió mi vida? ¿Por qué estoy viviendo esto? ¿Por qué no quiero seguir en este matrimonio?" -se preguntaba una y otra vez al mismo tiempo que pensaba cómo callar cada uno de esos sentimientos e ideas que bombardeaban su cabeza.

Judith era una mujer profesional, trabajaba como conductora de un programa radial, era una mujer muy segura de sí misma, alegre, llena de vida y con una gran chispa de vitalidad. Ella se describía a sí misma como una mujer con los pies sobre la tierra y llena de optimismo hasta que la idea del divorcio tocó a su puerta y puso su vida de cabeza.

Deborah conoció a Judith durante una reunión de negocios para la difusión de publicidad en una de las compañías en que trabajaba. Al conocerse hubo una conexión inmediata como si ambas mujeres se conocieran de años atrás. No sólo creció una relación de negocios sino una gran amistad, compartiendo experiencias y locuras juntas.

Sin embargo, fue en un viaje por auto que hicieron, que ambas mujeres aprendieron una de otra y surgió un autoconocimiento mutuo.

"No sé en qué momento se desvaneció todo, creía que mi matrimonio estaba bien," -contaba su relato Judith mientras ambas hicieron una parada en una gasolinera. "No había pleitos, no discutíamos por nada, prácticamente, él tenía su vida y yo la mía."

"¿Y en qué momento te diste cuenta que algo andaba mal con tu matrimonio?" -continuaba en la conversación Deborah.

"¿Sabes? Cuando una está contenta en su matrimonio y sientes que es para toda la vida, no importa qué surja, qué contratiempos o problemas experimenten, en tu interior sabes que lo podrán superar juntos. En mi caso, no era así, yo no sentía eso. Me engañaba a mí misma. Cuando surgían situaciones desagradables, las disfrazaba por largos períodos y no tenía el valor de afrontarlas." -recordaba Judith viendo hacia el cielo lleno de nubles blancas como queriendo encontrar ahí la respuesta a su incógnita.

"Mi propia familia y amigos me hacían ver que algo estaba mal y yo no hice caso. Aun antes de casarme con él, me decían que era muy apresurado, que debía tomarme mi tiempo para conocerlo, que me merecía algo más. Mi misma madre me lo advertía y no escuché." -Judith recordaba cada una de las palabras que le decía la gente que la conocía, inhalando pausada y lentamente.

"Bueno Judith, todas las madres nos dicen que no hagamos muchas cosas, y aun así las hacemos, no creo que ahí comenzó el problema." -Deborah mirándola, la cuestionó.

"No, surgieron muchas cosas más, por ejemplo, comencé a deprimirme, aun cuando tenía todo para ser feliz," -Judith contestó. "No sentía esa emoción de querer ver al que era mi esposo y eso me hacía sentir muy mal, me hacía sentir culpable. Y el autoengaño creció cada vez más, me decía a mí misma que estaba loca, que era una mujer mal agradecida y que no valoraba lo que tenía. Como consecuencia comencé a hacer cosas para justificar mis pensamientos, comencé a repetirme una y otra vez que todo estaba bien, que tenía un hombre maravilloso, comencé a hacer cosas que no quería hacer y a decir aquello que no sentía, hundiéndome más en mi depresión e infelicidad."

Hubo unos momentos de silencio. Era como si Judith por un momento volviera a vivir cada una de sus palabras y buscara una razón lógica a su actitud y experiencias mirando hacia aquella carretera árida y con un horizonte interminable.

"¿Por qué será que nos creemos nuestras propias mentiras y nos convencemos de una realidad que no existe, haciendo nuestras vidas miserables?" -Deborah rompió el silencio con esta cuestión. "¿Será por miedo, vergüenza, falta de valor o ignorancia?"

"Tal vez eso o simplemente no sabes que te estas engañando, no logramos distinguir entre una mentira y la realidad que vivimos." -contesto Judith.

Después de varias canciones cantadas a todo pulmón, Judith y Deborah comenzaron a dialogar nuevamente.

"¿Cuál fue el momento en el que decidiste cambiar tu situación, y dijiste YA NO MAS?"

"Fíjate que me costó mucho decidir qué hacer. Pero en el momento que fui honesta conmigo misma, en el momento que me quité mis estereotipos y mis creencias, me di cuenta en realidad que no éramos un matrimonio, sino un par de personas que compartían una vida juntos y al mismo tiempo vivíamos vidas totalmente separadas; fue en ese momento que decidí ver esa verdad." -Judith empezó a hablar con una gran sinceridad. "Sin embargo, aceptar eso fue muy doloroso, fue doloroso darme cuenta de que me estuve auto engañando y me estuve haciendo daño por mucho tiempo. Es ahí donde comenzó una crisis interna para mí."

"Muchos de nosotros nos hemos sentido así alguna vez, creando una realidad que no existe y deseando que cambien las situaciones, perjudicándonos día con día a nosotros mismos. Personalmente creía que planeando un futuro y viviendo velozmente, conseguiría mi felicidad, sin darme cuenta que al inventar un futuro que todavía no existía era solo una forma de escape a mi vida presente, a mi realidad."

"Sí, así es Deborah, pero no nos damos cuenta, todo es un proceso. El encontrarme previamente a mi divorcio, fue una etapa crítica y difícil para mí. Ese proceso fue muy lento y confuso. El decidir divorciarte, no es una decisión que se toma de la noche a la mañana" -Judith dijo con una voz callada y triste, pero firme. "Lo más triste fue darme cuenta de que me había divorciado mental y emocionalmente de mi pareja muchísimo tiempo atrás."

"¿Y cómo te hizo sentir eso?" -Deborah se aventuró a cuestionarla.

Judith volteó a ver a Deborah mientras ésta manejaba y lentamente dijo: "Comencé a sentir lástima. A sentir lástima por él, me imaginaba cómo sería su vida si nos divorciábamos. Llegué hasta a pensar que sería algo muy fuerte para él, que lo mejor sería que me sacrificara yo. Y así lo hice, sin darme cuenta de que eso solamente alargaba mi indecisión y sólo ignoraba mi agonía interna. Y a pesar de haber estado casada ya por cuatro años, me tomó tres años más en decidir terminar con mi relación y matrimonio definitivamente," -compartió Judith. "Fueron siete años los que viví sin vivir."

Después de haber manejado por largo tiempo, Judith y Deborah pararon a descansar y a comer en un restaurante. A pesar de tanto tiempo en el auto, se sentían contentas y llenas de energía. Se sentían ansiosas por el futuro, aun sabiendo que cada día podría traer un desafío diferente que enfrentar.

Al parar a comer después de varias horas de manejo, Deborah preguntó: "Yo sé que es más fácil decirlo que hacerlo, pero ¿por qué tardaste tres años en una relación en la que no querías estar, ignorándote a ti misma?"

"Por orgullo, por las expectativas, por mis creencias, por miedo, por el qué dirán. Creía que era mi obligación el luchar por el matrimonio y la familia." -contesto Judith. "Y me fui envolviendo en este mundo de emociones y miedo por tantos años. Pensé que algo pasaría por arte de magia y resolvería lo inevitable, sin darme cuenta que era sólo mi idea ilusa y no quería enfrentar el problema." -respondió Judith con una gran honestidad.

Deborah escuchaba el relato de Judith sintiendo dolor en cada una de sus palabras, ya que era una situación parecida a la de tantas mujeres que no han llegado a esa sinceridad interna; cegándolas continuamente por creencias, dudas, expectativas ajenas y propias y ese miedo infinito al cambio, no sólo en un matrimonio, sino en una carrera, en una relación, en la familia, en su vida misma, creando un ambiente hostil y lleno de palabras hirientes tanto interna como externamente.

"¿Y cuándo surgió un cambio en ti y decidiste hacer algo al respecto?" -Deborah continuaba con la conversación.

"Pasaron muchas cosas antes de tomar seriamente la decisión. En mi afán de saber que estaba haciendo lo correcto, pedía señales, buscaba esas pautas que me hicieran ver que a lo mejor estaba equivocada, prefería negar la situación y al mismo tiempo me sentía prisionera de mí misma." -recordaba Judith. "De hecho, tomé mi decisión dos veces durante un período de tres años y me arrepentía cada vez."

Deborah escuchaba silenciosamente y después de un minuto de silencio la cuestionó: "¿Qué es lo que te hacía arrepentirte de tu decisión?"

"Mi miedo infinito a estar sola. Prefería estar con alguien a costa de mi felicidad, postergando mi decisión y negando lo que pasaba." -contestó Judith con un gran alivio. "Mis dudas y miedos me hicieron quedarme en una relación que no funcionaba y en la que sólo permanecía por mi afán de llenar mi soledad."

Deborah le sonrió con gran empatía al terminar de decir estas palabras, se dio cuenta de que Judith era una mujer muy fuerte no por haber salido de una situación que no la hacía feliz, sino al darse cuenta del poder de ser honesto con uno mismo y enfrentar no sólo el miedo, sino la vergüenza y el propio orgullo. "¿Qué otra cosa te ayudó a encontrar una solución?" -Deborah le preguntó.

"Buscar ayuda. Fue cuando enfrenté mi realidad y me di cuenta de que era algo que no podía hacer sola. Busqué ayuda profesional y espiritual que me guiaron a tomar una decisión madura y no desde mi ego. Me di cuenta de que el tomar una decisión y arrepentirme luego, no era saludable ni para mí, ni para el que fue mi pareja." -confesó Judith.

"El buscar ayuda es un gran paso Judith, muchas no nos atrevemos a hacerlo, ni siquiera a pensarlo." -respondía Deborah en su conversación con Judith.

"Si, así es, y no fue fácil. Durante mi matrimonio yo misma cree una fantasía. Vivía añorando tener una realidad que no existía, me estaba auto engañando. Buscaba ver en mi ex-esposo a un hombre fuerte, decidido, atrevido y con fuerza, que no me daba cuenta de que estaba intentándolo cambiar por alguien que no era." -continuó con su relato Judith. "Hubo ocasiones en que deseaba que él fuera espontáneo, audaz y me llevara a vivir aventuras llenas de adrenalina y al no vivir eso, poco a poco me fui desilusionando. Fue cuando realmente me di cuenta de que era yo la que tenía que cambiar."

Ahí estaba Judith recordando esos momentos de introspección, dándose cuenta de varias cosas que había descubierto de sí misma, sin saber que ella las poseía. Por otro lado, Deborah se imaginaba el proceso no sólo cuando se toma una decisión, sino después de haberla tomado. Toda esa lluvia de dudas, indecisiones o resultados imaginarios. Así que con una chispa de curiosidad le preguntó a Judith: "¿Y cómo fue tu proceso al llegar el divorcio?"

"Uno tiene que ser sabio cuando está pasando un proceso como éste." -narraba Judith con esa sabiduría que sólo obtienes de la experiencia vivida. "Personalmente, cuando me divorcié, comencé una búsqueda de cosas nuevas y diversión. Quería hacer todo aquello que no había hecho durante mi matrimonio, me sumergí en un mundo de distracciones externas; como ir a bailar, pertenecer a un grupo de rock, cantar, actividades que me hacían ver y sentir placer. Sin embargo, me di cuenta de que para llegar a conocerme interiormente tenía que cambiar, pero cambiar desde muy adentro. Me empezaron a llegar mensajes como: 'Si quieres tener algo diferente, comienza a hacer algo diferente.' '¿quieres algo diferente? Camina distinto.' y fue como comencé a hacer más conciencia y empezar ese descubrimiento interno de una forma más madura."

Después de 17 horas y 25 minutos, Deborah y Judith llegaron a su destino, donde se disponían a pasar un fin de semana con unas amigas. Sin embargo, en aquella plática y razonamiento entre ambas mujeres, hubo algo dentro de Deborah que la hizo darse cuenta de que había descubierto a su gran enemigo y que este estaba habitando en ella misma.

Al trascurrir los días, el trato entre estas dos mujeres fue diferente, sentían más empatía y entendimiento la una por la otra.

Era como si el hablar de sus más tristes recuerdos y experiencias de vida, les presentara un nuevo panorama, un panorama claro y fresco de lo que significaba aceptarse a uno mismo.

Nuevamente el domingo por la noche, comenzaron su regreso y ese recorrido de más de 17 horas. Iban recordando cada uno de los eventos acontecidos durante el fin de semana y cómo la vida, a pesar de tener tantos matices, tiene una alegría y espontaneidad única, que sólo la perciben aquellos que no se encierran en su mundo y en sí mismos.

Al llegar la noche profunda y siendo guiadas solamente por la luz de la luna y el reflejo de las luces del auto, Deborah le preguntó suavemente, mientras Judith manejaba: "¿En algún momento has sentido arrepentimiento de haber tomado la decisión de divorciarte?"

Judith esperó unos momentos antes de contestar, como si esa misma pregunta se la hubiera hecho ella misma una y otra vez. Con la mirada fija en el camino, contestó: "En ocasiones al principio me llegaban momentos de arrepentimiento, esos momentos de duda en los que pensaba que a lo mejor hubiera intentando una vez más salvar el matrimonio o tratar de encontrar una solución. Sin embargo, sabía que eso era algo en lo que yo tenía que trabajar personalmente, ya que lo había intentado varias veces. Entendía que estaba en mí cambiar ese concepto, porque si no se hace un vicio, se hace una adición al sufrimiento."

Deborah recordaba cómo la duda misma nos lleva a permanecer una y otra vez en situaciones intolerables y encontrar justificaciones por nuestras decisiones, creando un sentimiento de victimismo. Eso sin agregar que aumentamos nuestro propio sufrimiento al agregarle drama a nuestra situación. De pronto le preguntó: "¿Has descubierto algo nuevo en ti a causa de tu divorcio?"

Judith miraba hacia abajo como tratando de recolectar cada una de sus enseñanzas y buscando una forma clara de expresarlas. Después de unos momentos dijo:

"Descubrí que fui muy impulsiva, que tomaba decisiones bruscamente sin pensar en las consecuencias de mis actos. Descubrí que me dejaba llevar por mis emociones solamente. Descubrí que no tenía una disciplina en mi vida y el ser tan indisciplinada me hacía cometer errores y más en la toma de mis decisiones. Descubrí que fui criada con la idea de que lo más importante en la vida era encontrar una pareja, tener una familia y que eso me haría feliz, y me aferré a esa idea y creencia de vida que me olvidé de mí misma. Descubrí que yo tenía la responsabilidad de mí misma, de mi felicidad, de mi salud y de mi bienestar," -confesaba Judith con una voz clara y pausada, como queriendo revelar todo aquello vivido en su descubrimiento interno.

"Me olvidé de todas las oportunidades que yo pude haber tenido como individuo si desarrollaba mis talentos. Me olvidé de que no puedo dar lo que no tengo y que estaba en mí empezar a quererme, cuidarme y alentarme a mí misma. Mi divorcio me hizo comprender muchas cosas y aprender de mí misma; sin embargo, aún sigo en ese aprendizaje diario sobre quién soy yo, quién es Judith, la mujer."

Deborah sonreía al escuchar los descubrimientos internos de Judith y comprendía cómo nosotros como seres humanos tenemos valor más allá de un matrimonio o más allá de un divorcio. A veces vivimos esperando que otros cumplan nuestras expectativas sin darnos cuenta de que ni nosotros mismos llenamos las nuestras propias.

"Y después de haber vivido esto, ¿crees que volverás a amar?" -intrigada preguntó Deborah.

"Claro que sí, en el camino encontraré a la persona correcta, porque no se busca, se encuentra. Pero tengo que trabajar primero en mí misma. Si deseo tener una pareja con ciertas cualidades, tengo que trabajar en obtenerlas yo primero." -contestó Judith.

"Estoy segura de que así será, ya que has aprendido de tu experiencia. ¿Si tuvieras la oportunidad de vivir nuevamente tu situación, que habrías hecho diferente?" -interrogó curiosa Deborah.

"Primero, habría sido más paciente. Me habría dado el tiempo de conocerme a mí primero y después a mi pareja." -compartía Judith. "Comprendí que uno no llega a saberlo todo, el creer que lo sabemos todo es muy efímero. Sin embargo, cuando uno pasa una situación y ya no la sufres, uno está aprendiendo. He comprendido que no se trata de evitar las crisis o el dolor, porque en las crisis uno crece; pero sí pasar por todo el proceso con paciencia y con valor y poder mirar hacia atrás y darse cuenta de que uno llega a ser un mejor ser humano. Me tomó años comprender eso."

Deborah comprendió en su conversación con Judith que uno mismo produce el engaño interno cuando no reconocemos nuestra responsabilidad en cada uno de nuestros actos y nuestros fracasos. Se tiene la idea absurda del papel que una pareja ejerce en un matrimonio. No es un contrato en el que cada uno de sus miembros cumple con sus obligaciones, sino que es un compromiso hecho desde lo más profundo de tu ser, en el que el principal objetivo es crear un vínculo de complicidad, amistad, confianza y amor.

Durante la crisis de un divorcio se crea una nube de culpas, ideologías y falsas reconciliaciones internas, que para algunos les llevan meses, a otros años y para muchos toda una vida en reconocerlo.

En este caso, Deborah podía ver tras la sonrisa de Judith, la paz que ella sentía, no sólo por haber dejado de auto engañarse, sino por haber encontrado una forma diferente de verse a sí misma y a su vida.

Deborah también entendió que el verdadero autoconocimiento surge desde un silencio interno. Ese silencio que le aterraba a ella. Sin embargo, el encuentro con Judith le hizo darse cuenta de que la soledad aun en su propio mundo, puede llegar a ser enriquecedora. Esa soledad de la que todos huyen sin entender lo poderosa y sabía que podría llegar a ser. Así que Deborah se prometió invitar a su soledad a su vida y que, más que aterrarla, la acogería con gran ilusión.

"EL AUTOENGAÑO JUSTIFICA NUESTROS PENSAMIENTOS Y SENTIMIENTOS, CREANDO UN VICIO Y ADICCION AL SUFRIMIENTO"

HISTORIA DE VIDA

Yolanda

CAPITULO SIETE

Autoengaño

El día tan esperado para Yolanda llegó, hoy era el día que por tantos años esperaba y por lo que tantos años trabajó. Hoy se gradúa con un doctorado en Negocios Internacionales, era un gran acontecimiento, logró lo que jamás se imaginó que lograría. Ahí se encontraba mirándose al espejo con un gran orgullo y llena de vida, deseando que ese sentimiento jamás se esfumara.

Yolanda vivió y creció en un pueblo muy humilde junto a sus padres. Vivió soñando con tener una carrera exitosa y que la pudiera sacar de ese lugar a ella y a sus padres. Le tomó más de 30 años llegar al lugar que en este momento está experimentando. Sin embargo, a pesar de tan inmenso logro, Yolanda no se siente completa, feliz, realizada.

Horas después, caminando en los jardines de la Universidad, Yolanda alcanzó a ver a Deborah y fue a saludarla.

"Hola Deborah, ¿cómo estás?" -saludó Yolanda con una sonrisa tímida.

"Hola Yolanda, felicidades, has logrado algo sorprendente, ¿cómo te sientes?" -preguntó Deborah.

"No me siento que haya logrado algo fuera de lo normal" –contestó Yolanda sintiéndose avergonzada por su respuesta.
"¿Qué te hace sentir eso?" -intrigada la cuestionó Deborah.

"Creí que una vez que lograra una de mis metas más grandes, me sentiría inmensamente feliz, que la gente vería mis logros y yo me sentiría mejor conmigo misma y me daría más valor y ahora que lo he logrado, siento que no tiene mucho sentido" -contestó Yolanda.

Esa confrontación con ella misma no fue fácil de aceptar y mucho menos de compartirla.
¿Acaso no crees que tiene un gran valor lo que has obtenido?" -preguntó Deborah.

"Sí, pero no ha cambiado nada por dentro. No lo sé, bueno Deborah, fue un gusto saludarte." Sin más palabras alguna y apresurada, Yolanda se despidió dirigiéndose a su graduación.

Deborah se quedó pensando en cada una de las palabras de Yolanda y continuó su camino. Sin embargo, ese encuentro era sólo el principio de una gran verdad que descubrió Deborah sobre la vida.

Tuvieron que pasar varias experiencias, reencuentros internos y un sinfín de cuestionamientos antes de volver a encontrarse en otra etapa diferente en la vida de estas dos mujeres.

Transcurría el mes de Marzo, era un día soleado lleno de vida y naturaleza despierta. Esa mañana cuando Deborah se preparaba para ir a encontrarse con unas organizaciones, no se imaginaba que le esperaba el resto del día. En realidad, la vida es así, no hay nada escrito, *la vida es una sorpresa diaria con instantes imprevistos y encuentros inesperados*.

Al llegar a su cita, Deborah alcanzó a ver a una mujer que la esperaba en la sala de juntas de la organización a la que visitaba. Para su sorpresa, era Yolanda; sin embargo, algo estaba diferente en ella. Era totalmente diferente a la mujer que encontró en los campos de la Universidad en su día de graduación. Esta nueva mujer brillaba, tenía una luz en sus ojos y un compás en su habla que cualquier persona que la escuchara notaba una paz y congruencia extraordinarias.

"¿Yolanda? Cómo has estado," -Deborah sin demora le preguntó.

"Hola Deborah, me da tanto gusto verte." contestó Yolanda.

"Te ves muy bien, te ves tranquila y en paz," -le comentó sorprendida Deborah.

"Así es Deborah, me siento muy bien. Sin embargo, me costó mucho y tuvieron que pasar muchas cosas antes de llegar a sentirme así y de darme cuenta de eso." -respondió Yolanda.

"Eres otra, tu mirada es diferente."

"Sí, así es, pero será mejor que en otra ocasión nos reunamos para contarte lo que he vivido, ¿estás de acuerdo?" -contestó Yolanda a Deborah mientras se dirigían a la sala de juntas donde tendrían una reunión con los demás gerentes de la empresa.

"Claro que sí, me encantará reunirme contigo y contarte tantas cosas." -sentándose al lado de la ventana en el cuarto de juntas, contestaba Deborah.

Transcurrieron unas semanas antes de que estas dos mujeres volvieran a verse y compartieran sus experiencias de vida. Ambas llegaron al lugar de reunión, un restaurante tranquilo alumbrado con pequeñas lámparas de mesa y una vela en el centro que decoraba elegantemente el lugar.

"¿Cómo estás?" -habló primero Deborah.

"Muy bien, me encantó volverte a verte." -contestó Yolanda.

"A mí también, pero sobre todo el verte tranquila, en paz y feliz." -comentaba Deborah.

"Gracias Deborah. ¿Sabes? Cuando experimentas una paz interior, se logran entender muchas cosas." -Yolanda con una gran sonrisa y viéndola directamente a los ojos le explicaba.
"Me alegra." -contestó Deborah. "Pero dime qué has hecho."

"Bueno, desde aquella vez que nos vimos el día de mi graduación, experimenté un agridulce tiempo. Había logrado algo por lo cual me esforcé y luché por conseguirlo y una vez que lo tuve en mis manos, perdió su valía y me sentía culpable." -narraba Yolanda. "Por muchos años me auto engañé y viví bajo la sombra de los logros, creyendo que entre más logros tuviera, más feliz y segura de mí misma me sentiría, y que triste verdad encontré al ir logrando uno por uno y sentirme cada vez más vacía."
"¿Acaso no estás orgullosas de tus logros profesionales?" -preguntó Deborah.

"Claro que lo estoy," -contesto Yolanda. "Sin embargo, en su momento creí que era lo único que me daría satisfacción y valoración personal, era mi carrera. Buscaba con ansias el llegar a ser reconocida por mis logros profesionales y no por lo que era yo en realidad. No me daba cuenta de que el valor personal me lo generaba yo misma."

"Uno viaja por la vida queriendo encontrar luz en otras personas, en triunfos, en retos, en cosas externas. En mi caso, creía que la luz era tener una carrera exitosa y me dejé deslumbrar por esa falacia, sin darme cuenta de que la luz que tanto buscaba estaba dentro de mí. Una luz que se encendía con cada palabra de ánimo que me decía a mí misma por las mañanas, por cada caricia que me regalaba, por mi cuidado tanto interno como externo. Mi valor personal surgió verdaderamente cuando me lo otorgué yo misma."

Deborah la escuchaba al mismo tiempo que tomaba su té de manzanilla, sintiéndose un poco confusa. "¿Quieres decir que cuando uno logra cosas ya sean personales o profesionales en la vida, no tienes más valor o te sientes más segura de ti misma?" -respondió Deborah.

"Bueno Deborah, cuando uno logra metas personales o profesionales uno se siente bien." -continuó Yolanda. "Sin embargo, la falacia o el autoengaño comienza en el momento en que le das más peso a los reconocimientos ajenos que a los tuyos propios. Cuando tu deseo de alcanzar metas surge de la vanidad y el egocentrismo y no desde el simple placer de evolucionar."

"Creo entenderte, Yolanda." -dijo Deborah. "Quieres decir que cuando uno se aferra a conseguir logros tanto

personales como profesionales tienen que surgir por el valor que te tienes a ti misma y el deseo de llegar a ser un mejor ser humano y no por la opinión o aprobación exterior."
"Exactamente." -respondió Yolanda con una gran sonrisa.

¿Y cómo saber la diferencia? ¿Cómo saber que tus logros son para ti y no un camino de aprobación ajena?" -Deborah no podía descifrar el significado de esa falacia.

"Deborah, eso es algo que por ti sola te darás cuenta, no hay nada ni nadie que pueda darte las pautas de autoconocimiento y sabiduría. *La verdadera sabiduría surge desde el corazón de las experiencias personales*. Esa es una meta y búsqueda personal. En mi caso, por ejemplo, cuestioné todo, cuestioné mi vida, cuestioné mis pensamientos, mis ideas, mis dudas, me cuestioné a mí misma." -Yolanda compartía con Deborah.

Deborah escuchaba atenta a esta mujer que ha logrado tanto, pero tal como ella lo dice que ni todos sus logros le dieron esa paz que ella tanto buscaba.

"Por mucho tiempo viví llena de dudas y preguntas, buscando logro tras logro y un sin fin de metas tanto personales como profesionales, pero sintiéndose vacía y cada vez más infeliz. La simple ilusión de que un título más me daría más satisfacción, me cegó. Venía alimentando esa creencia por tantos años que cuando me daba cuenta de que no era así, me sentía más vacía que nunca, dejándome con un miedo interno hasta que venía otro reto."

Al terminar de decir esto, Deborah comenzó a interrogarse ella misma y a reconocer que de igual forma le dio a su trabajo y logros profesionales un peso muy grande en su vida, sin percatarse que eran sólo un espejismo.

"Años después de que me gradué, mi trabajo fue mi salida a querer olvidar lo que estaba pasando en mi vida personal." -recordó Yolanda. "Me sentí fracasada como mujer, lo último que quería era sentirme fracasada como una profesional, así que comencé una lucha constante por sanar mis heridas y en cierta forma cubrir mi dolor interno a través de mi vida profesional. Sin embargo, por más logros profesionales que tenía, no lograba sentirme plena. Sonreía en mi oficina y lloraba desconsolada en mi casa."

Una vez más, Deborah por un momento llego a identificarse con Yolanda y revivió su travesía al sentirse por muchos años inmensamente triste por dentro, pero mostrando una gran felicidad por fuera. Ese autoengaño de querer aparentar aquello que no existe y querer vivir desde la ilusión.

"Fue hasta que reconocí que antes de ser una mujer profesional, una hija, una madre o una amiga, soy un ser humano." -continuó con su relato Yolanda. "Acepté que soy una mujer que tiene la capacidad de definirse a sí misma no por su educación, no por su familia o número de hijos, no por su salario, no por sus logros, sino por su fortaleza interna. Esa fortaleza que me recuerda cada día que mi vida es única, mi historia es única, mi personalidad es única y sólo yo soy la responsable de agregarle ese valor que nadie más podrá darme, sólo yo soy la responsable de escribir mi historia."

Yolanda a través de los años comprendió que tenía valores propios que desconocía. Pero fue hasta que se despidió de sí misma como la víctima, dejando rencores y culpas a un lado, que pudo reconocer una nueva personalidad. Descubrió que a través del diálogo interno y el autoconocimiento es donde se encuentra una nueva persona más allá de lo que otros esperan. Una persona que con capacitación profesional o sin ella tiene la capacidad de crear un mundo diferente al que está viviendo, en lugar de buscar salidas al olvido.

"Y ahora, crees entonces que has encontrado aquello que te hace feliz." -continuó la conversación Deborah.

"Me tomó años aprender a amarme y respetarme de una nueva forma y fue entonces que pude descubrir mi propio concepto de alegría." -Yolanda compartió con Deborah.
"Quieres decir felicidad, ¿no es cierto?"

"No, me refiero a estar ALEGRE, no feliz." -contestó Yolanda. "Personalmente he aprendido que la felicidad es un estado mental en la que se busca una gratificación continua de placer o satisfacción y en el momento en que no la recibes, te causa dolor, decepción o miedo. Me di cuenta de que *no existe la felicidad eterna, sólo los momentos diarios de alegría que se disfrazan en los desafíos de la vida*, así comencé un camino hacia la búsqueda de mi alegría."

Deborah aun no comprendía lo que Yolanda quería decir sobre la diferencia entre la felicidad y la alegría, pero sí podía percibir la inmensa paz que esta mujer irradiaba con tan sólo una mirada.

"Mira, cuando comencé mi cuestionamiento, me di cuenta de que el ser humano está en la búsqueda continua y ansiosa de ser feliz a través de actividades, retos o cosas que en su parecer le darán felicidad, pero ¿qué sucede cuando aquello que creías que te daría felicidad tan sólo te da decepción y dolor? o en mi caso, ¿qué sucede cuando logras lo que deseas y no hay satisfacción alguna? Al momento en que comencé a disfrutar de aquellos momentos que me hacían sonreír, me daban paz, me creaban una sensación de llenura, comprendí que tenía que atesorarlos y disfrutarlos mientras duraran. Una vez que terminaban, debía continuar viviendo hasta que aparecieran nuevas experiencias y mi alegría volvía a surgir, sin esperar que estas duraran o se repitieran. Ahí supe que la alegría es un estado permanente y que se goza continuamente sin el menor esfuerzo, a comparación de una creencia de felicidad forzada e ilusa."

"¿Y qué hay de esos momentos que se repiten y nuevamente te causan felicidad o en tu caso alegría?" -cuestionó Deborah.

"Atesóralos, vívelos, ámalos, pero por lo que son: *un sinfín de momentos y experiencias que llegan a tu vida sin previo aviso. No luches por conservarlos, detenerlos o repetirlos, o morirás en su memoria.*"

Deborah se quedó fascinada al saber cómo razonaba Yolanda. Era una persona que no se dejaba guiar por lo que la mayoría decía o imponía. Ella buscaba sus propias respuestas y conclusiones y se quedaba con aquellas que la hicieran sentir satisfecha y plena.

"Está en nuestro control el poder buscar, encontrar, reconocer y cultivar nuestra alegría propia." -continuó explicando Yolanda con una gran sonrisa. "No es algo que se te dará, es algo que tienes que buscar día con día en esos pequeños momentos de la vida diaria."

El ser humano a través de los años está en una incesante búsqueda de una felicidad por medio de cosas externas y que sólo dura instantes, sin darse cuenta de que la alegría es permanente y se genera internamente.

"Puedo decirte que en esa gran búsqueda he encontrado mi propia fuerza, que yo la denomino mi compañera de vida." -comentó Yolanda. "Esa fuerza que me guía a seguir conociéndome, queriéndome cada día y aceptando que no soy lo que creía que era, ahí es donde comienza el verdadero reto."

El encuentro con Yolanda produjo en Deborah una motivación interna y comprendió que cada uno de nosotros tenemos la capacidad de construir nuestra vida y transformarla a través de esos momentos de alegría. Es el espejismo de la felicidad el que crea una resistencia interna para vivir plenamente y en armonía con tu ser.

“LA FELICIDAD ES UN SINFÍN DE MOMENTOS Y EXPERIENCIAS... NO LUCHES POR CONSERVARLOS, DETENERLOS O REPETIRLOS, O MORIRAS EN SU MEMORIA”

HISTORIA DE VIDA

Patricia

CAPITULO OCHO

Estrés

Patricia es una mujer activa, llena de vida, desarrolladora de proyectos e independiente. Está casada y tenía dos hijos adolescentes; desde pequeña sabía que quería ser empresaria y se preparó para eso. Deborah la conoció en una clase de yoga que tomaban juntas a las 6:00 am todos los martes y viernes. Su forma de ver la vida y llena de cosas por hacer es lo que le llamó la atención a Deborah. Se preguntaba cómo sacaba tiempo para atender su trabajo, su familia y a ella misma. Entre las pláticas, antes y después de cada clase, surgían conversaciones que las hacían quedarse al final de todo el grupo. Sin embargo, fue un día cuando Deborah llegando a la clase sin ganas de participar, dijo: "Cómo me gustaría quedarme en cama todos los días y no pararme nunca." No pasó ni un segundo cuando Patricia volteó a verla con una mirada de desafío e incredulidad, que contestó: "No sabes lo que estás diciendo Deborah. Las palabras son muy poderosas. Estás fuerte y sana y ese es un privilegio que sólo algunas personas poseen. Es un regalo que se debe disfrutar y no tomarlo por seguro." -Deborah se quedó callada por unos momentos, cuestionándose el porqué de esa reacción. Era sólo sarcasmo.

Deborah no se quedó con la duda y le preguntó: "No hablaba en serio, sólo pienso que sería rico hacerlo. ¿Que acaso nunca lo has pensado?"

"Sí, y al igual que tú, lo repetí tantas veces, que al final se convirtieron mis palabras en una profecía cumplida. Y puedo decirte que, desde ese momento, supe el poder que tienen mis palabras y mi mente." –le respondió a Deborah, mirando hacia el suelo como si las imágenes de sus pensamientos la inundaran. "No fue hace mucho que la vida me hizo recordar que una de las cosas más esenciales que cualquier otra cosa, es nuestra salud. Cuando uno está enfermo hay una impotencia inigualable, pierdes una de las cosas más importantes, el poder ser independiente y ser tú misma."

"Sinceramente Patricia, no he pensado mucho en eso, creo que le doy más validez a otras cosas." -contestó Deborah.

"Sí y no te culpo, yo de igual forma, al igual que tú, le daba más prioridad a mi trabajo, mis proyectos, mis logros, quería comerme al mundo y vivía una vida sin conciencia." -platicaba Patricia. "Soy una mujer que tiene mucha energía, me apasiona lo que hago y comencé a envolverme en todos y cada uno de los proyectos que se me presentaban. Tenía 2 trabajos, estudia por las noches, atendía a mi familia y era la salvadora de mis amigas y vecinos, además de ser una súper mamá."

Deborah estaba ante una mujer que la inspiraba y a la cual admiraba. Sin embargo, jamás la había escuchado quejarse o hablar sobre alguna enfermedad o padecer. Sin perder un segundo más, le preguntó: "¿Te han diagnosticado alguna enfermedad de la cual no sé?"

"No precisamente, pero sí he sentido qué es estar en cama sin la posibilidad de moverte y puedo decirte que es una de las más grandes impotencias. Hace algunos años tenía una vida tan agitada y llena de estrés que me estaba llevando por un camino con problemas cardiacos y en mi columna, que, de no haber cambiado mi estilo de vida, hubieran acabado con ella." -Patricia comenzó a compartir su experiencia, que, a su parecer, podría ayudar a Deborah. "Estaba terminando un proyecto al cual le había invertido mucho tiempo y esfuerzo. Mi estilo de vida no era el más óptimo. Ya tenía tiempo trabajando a ese ritmo, trabajando sin descanso, no cuidaba mi alimentación, mis niveles de estrés eran altísimos, no hacía ejercicio, me obsesionaba con mi trabajo, sin darle cuidado o atención a mi salud. *La vida es tan sabía que cuando se pierde la armonía en tu vida, la armonía en tu cuerpo te lo deja saber*." -Patricia narraba con precisión. "Fue una tarde que jamás voy a olvidar. Me encontraba enfrente de mi computadora terminando un reporte, había pasado más de 7 horas sentada sin tomar un sólo descanso y sin probar bocado alguno. De pronto, al tratar de levantarme, todo mi cuerpo se paralizó, un inmenso dolor en mi cintura me inmovilizó en segundos; el más mínimo movimiento me hacía gritar de dolor, sentía como si mi cuerpo se partiera en dos." -recordaba con lujo de detalles Patricia. "Deseaba ir al hospital de emergencia, pero el sólo movimiento para alcanzar el teléfono era insoportable. Mi segunda opción fuer tomar 8 pastillas para el dolor y me fui a emergencias y, aun así, el dolor era tan inmenso que cada vez que daba un paso, mi vista se nublada y el dolor se apoderaba de mí, hasta que desmayé."

"¿Y luego que pasó?" -preguntaba conmovida Deborah.

"Al recobrar el conocimiento, me encontraba en el hospital, fui internada toda la noche, me sacaron estudios y no encontraron la causa del dolor. Me enviaron a mi casa al día siguiente con narcóticos tan fuertes que, al instante de tomarlos, me dormían profundamente por más de 9 horas seguidas. A partir de ahí no fui la misma. No podía levantarme de la cama sin sentir el dolor acompañado con un grito desesperante. Los siguientes días me convertí en un ser humano dependiente en absoluto de los demás."

"¿A qué te refieres con un ser dependiente?"

"Esos días no podía moverme, no podía caminar, no podía hacer las cosas más simples y que las tomaba por hecho, como ir sola al baño. Aun cuando deseaba hacerlo por mí misma, el dolor me inmovilizaba. Empecé a depender de los demás para voltearme, comer, bañarme, cambiarme e ir al baño. Me sentí tan impotente, vacía, inútil, desesperada y frustrada al no saber qué me sucedía. Eso sin contar que no podía estar alerta o despierta debido a las pastillas que tomaba." -continuaba con su relato Patricia. "Imagínate, alguien que ha sido dependiente de sí misma toda su vida, que salía y venia sin obstáculo alguno, fue un gran golpe para mí, mi autoestima, mi ego y mi vida."

Patricia se preguntaba a sí misma, cada mañana durante las 3 semanas que permaneció recostada sin poderse mover, si era un castigo divino o una advertencia de la vida. Su autocompasión y victimismo la llevaban a pensar que ella no se merecía lo que le estaba pasando. Se decía a sí misma que ella no podía estar viviendo eso, que no le había hecho daño a nadie para merecer esa situación. Era como si los desafíos que se experimentan en la vida, estuvieran programados y nos escogerían al azar. Sin embargo, fue hasta que, al usar sus palabras de forma inteligente, comenzó a cuestionarse y llegar a otra clase de entendimiento, el entendimiento de la armonía en la vida.

"¿Y por cuánto tiempo estuviste así?" -preguntó Deborah.

"Pase así 3 semanas, sintiéndome una víctima de las circunstancias, llorando las pocas horas que estaba despierta y maldiciendo y deprimiéndome por todo aquello que no podía hacer. Sin darme cuenta de que podría aprender tanto de esa situación." -con un entendimiento absoluto, respondía Patricia.

"Pero en realidad sí eras una víctima de las circunstancias." -comentó Deborah. "Al final no sabías qué te estaba pasando."

"¿Y acaso esa es una justificación para rendirme y no tomar el control de la situación? Es cierto que no sabía lo que me estaba pasando, pero mi actitud ante la situación pudo haber sido diferente." -sin duda alguna respondió Patricia. "Por ejemplo, en lugar de llorar, maldecir o deprimirme por tantos días, buscar razones que no existían, creando historias que no sucedieron, que podrían suceder o que me gustaría que sucedieran, yo podría haber utilizado ese tiempo más sabiamente."

Patricia entendió que la energía utilizada buscando respuestas a situaciones incomprensibles, sólo la hacían sentirme más triste y desvalida. Además de que la forma en que se preguntaba las cosas, tenía por consecuencia una respuesta y una reacción diferente en ella misma.

"¿Y de qué forma podrías utilizar tu tiempo más sabiamente en una situación así?" -se preguntaba a si misma Deborah

"Por ejemplo, si me preguntaba: ¿por qué me está pasando esto a mí? Automáticamente la respuesta que recibía era: porque te lo mereces, porque no puedes hacer nada bien, porque la vida es injusta, porque Dios prueba a sus seguidores, porque eres débil, porque nadie me comprende, porque sí, porque no, etc. Por supuesto, esta clase de respuestas me deprimían más y me causaban generar historias y desenlaces tristes en mi cabeza. Incluso llegué a pensar que era una maldición de alguien que me tenía envidia."

Patricia se llegó a dar cuenta de que el poder mental de un ser humano es muy fuerte y que es capaz de crear realidades inexistentes y que sólo la actitud y la organización mental de los pensamientos podrían hacer una diferencia.

Después de unos minutos de silencio, Patricia y Deborah se miraron a los ojos y sonriendo, Patricia dijo:

"No me daba cuenta de la importancia de mi salud o mejor dicho no creía que tenía esa importancia. No valoraba mi cuerpo porque mi mente sólo estaba pendiente de mi próximo proyecto, la siguiente llamada, el siguiente reporte, la siguiente junta, el próximo evento de mis hijos, lo que necesitaba mi esposo; en fin, sólo viendo hacia el futuro. Era tan egoísta que *pensaba que todo me lo merecía, aun una salud excepcional*. No me permití cuidar aquello que se me otorgó." -decía Patricia. "Llegué a un estado de movimiento acelerado y vida automática llena de estrés. Cuando tuve esta experiencia fue cuando me di cuenta de que vivir sin manera consciente no me hacía valorar y cuidar el instrumento más importante para lograr todas mis metas y proyectos, que era mi cuerpo."

"¿Sabes? Yo personalmente no he razonado eso, no he estado consciente y todo lo doy por hecho, incluyendo mi salud, mi siguiente respiro, mi vida." -Deborah reflexionó.

Por un largo tiempo estas mujeres conversaron en la cafetería del centro de Yoga, adornada con fotos de paisajes relajantes y mensajes de balance, armonía y meditación. Fue como si el tiempo se detuviera y sólo existieran esos dos cuerpos/mentes en un espacio único y transitorio. Se dieron cuenta de que ambas eran adictas al trabajo, que su vida giraba alrededor de proyectos y metas, cegándose al papel principal que jugaba su cuerpo para conseguir esas metas. Ese cuerpo que era el transporte y el medio que hacia posible alcanzarlas.

"¿Y cómo te hubiera gustado reaccionar cuando no sabías que te sucedía?" -curiosamente Deborah preguntó.

"Mmm... no tengo en mente la mejor reacción, pero definitivamente podría haber sido más agradecida con las personas que me apoyaron, en lugar de gritarles o tratarlas mal cuando *era yo* la que no podía moverse, cuando *era yo* la única responsable de mi salud, cuando *era yo* la que tenía el poder de cambiar de actitud. Podría haber estado agradecida, porque aun sin saber qué me pasó, estaba viva, podía hablar, respirar, pensar, comunicarme, tenía a mi alrededor gente que me ayudaba y cuidaba. Aun así, sólo me enfoqué en las cosas que no podía hacer, en lugar de agradecer por las cosas que todavía era capaz y podía hacer. Podría haber reflexionado, buscado opciones de estilos de vida más saludables, ya que el que estaba llevando no era el más apropiado para mí."

"Pero me imagino que cambiaste de estilo de vida una vez que te recuperaste." – Deborah le comentaba.

"No, eso fue lo más increíble, mis hábitos eran mucho más fuertes que mi deseo de cambiar. Una vez que recuperé mi movilidad y podía hacer las cosas por mí misma nuevamente, volví a la misma rutina, trabajé más horas de lo acostumbrado para ponerme al corriente con el trabajo atrasado; mis niveles de estrés superaron a los calmantes y todos los deseos por un cambio de vida se quedaron en el olvido." -Patricia compartía su relato.

"Caíste al igual que todo ser humano en el pozo del autoengaño, en donde deseamos cumplir nuestros sueños y sólo pensamos en ellos, sin crear acción alguna para lograrlos." -contestó Deborah.

"Así es, una vez que vi que el dolor desapareció y que nuevamente podía hacer lo que quería, esos deseos de mejorar mi salud, se esfumaron." -comentaba Patricia con ese remordimiento que surge cuando sabes que te has fallado a ti mismo. "Al final, ya no dependía de nadie y creía poder con todo yo. Era irónico cómo hasta llegué a prometerme a mí misma el cuidarme y poner mi salud en primer lugar. Todo fue una mentira."

Patricia entendió cómo el ser humano actúa por miedos y es ese miedo el que lo lleva a tomar decisiones. En su caso, cuando se vio inmovilizada sin razón aparente, el miedo a quedarse así, perder el control, sus proyectos y su vida la inundó, haciendo promesas falsas y buscando intercambios mentales para salir de esa situación. Una vez superada la prueba, volvió a la misma actitud mental y complacencia ciega.

Deborah, después de unos minutos absorbiendo la situación dijo: "Pero ahora veo cómo cuidas tu salud y haces ejercicio, al final sí hiciste lo cambios que te prometiste."

"Claro que los hice, pero muchos años después, cuando el dolor regresó nuevamente junto con un ataque al corazón. Fue como la segunda advertencia y ese miedo a volver a estar inmovilizada o incluso morir invadió mi mente." -recordaba Patricia.

"¿Y por qué esperar hasta ese momento?" -preguntó Deborah.

"Por la misma razón que no lo hice antes, no había necesidad, no estaba consciente de lo importante que era, o simplemente estaba cómoda." -contestó Patricia.

¿Y te fue fácil después cambiar tus hábitos o estilo de vida?"

"No, por eso mucha gente no los cambia. El dejar de hacer cosas que te dan en cierta forma placer, aun cuando te perjudican, no es algo fácil de lograr." -compartió con honestidad Patricia.

"En mi caso, primero tuve que perdonarme a mí misma. Me perdoné por no cumplir mi promesa de cuidarme. Me perdoné por no cuidar mi cuerpo por tantos años y darle la importancia que se merecía." -narró Patricia. "Una vez que me perdoné sinceramente, comencé a programar dentro de todos mis proyectos un tiempo destinado para mí, lo llamé: 'Mi tiempo de oro.' Ese tiempo no era solamente para hacer ejercicio o preparar una comida saludable. Ese tiempo era para escucharme, escuchar a mi cuerpo, mirarlo, acariciarlo y sobre todo darle gracias por cada una de las funciones que desempeña."

"¿Darle gracias?"

"Sí, así es ¿cuándo fue la última vez que le agradeciste a tu cuerpo por lo que hace por ti, Deborah?

"¿Nunca le he agradecido, es su función hacerlo?" -contestó Deborah.

"¿Entonces no crees que deberías agradecerle por llevarte de un lado a otro y apoyarte todos estos años de tu vida?"

"Bueno, no lo he pensado de esa manera. Y sí, mi cuerpo me ha servido por muchos años y no se ha quejado. Creo que una vez más tengo que tener cuidado de creer que todo me lo merezco." -afirmó Deborah sintiendo vergüenza de su propia mentalidad.

Después de mostrar una pequeña sonrisa tras el comentario de Deborah, Patricia continuó: "Una vez que me perdoné sinceramente por no cuidar aquello que se me dio sin precio alguno, comencé a agradecer y dedicar tiempo a cuidarme."

"Pero aun tienes una vida muy ocupada, cómo organizas tu tiempo, tu familia y todos tus proyectos, o acaso ¿dejaste de hacerlo?"

"No, seguí con mis proyectos y compromisos, pero comencé a realizarlos de una manera más estratégica y consciente del impacto que podrían ocasionar a mi salud física, emocional y psicológica. Aprendí a decir NO a aquellos proyectos que no traían armonía a mi vida personal."

"¿Y alguna vez supiste qué te ocurrió en realidad además del estrés?"

"Sí, después de casi 6 años y visitas a varios doctores, se encontró que mi columna había sufrido gran daño debido a las largas horas que pasé sentada y en mala posición, además a consecuencia de un par de accidentes que tuve y no les puse atención. Una de mis vértebras se desgastó y comenzó a presionar unos nervios, causando el inmenso dolor y otros malestares." - concluyó Patricia.

"El dolor no era constante, sólo en ciertas ocasiones. Tal vez por eso seguí viviendo mi vida sin tomar acción alguna." - mencionaba Patricia al acordarse cómo solamente cuando ya no puedes con cierta situación, es cuando decides cambiar, en lugar de hacerlo de forma consciente. "Pensándolo ahora, el dolor fue sólo una parte del proceso que tenía que experimentar y aprender de una forma más consciente que soy responsable de mí, de mi salud, de mi vida. Nadie más tiene la obligación de cuidarme, protegerme y ver por mi bienestar, sólo yo soy responsable de saber cómo quiero enfrentar mi proceso de envejecimiento."

Patricia entendió que el sufrimiento que experimentó era opcional y que el autoengaño y las mentiras que ella misma se contaba causaron más estragos en su vida, haciendo su experiencia más desafiante.

"¿Sabes? Mi propio ego me llevó a creerme mis propias mentiras, me llevó a creer que era una súper mujer y una súper mamá, que todo lo podía hacer, que mi cuerpo y corazón aguantarían esas largas horas sin descanso, sin comida saludable y con niveles de estrés elevados. Yo misma me fui provocando el deterioro de mi salud por todo aquello a lo que me comprometía, sin darme cuenta del daño lento que me ocasionaba. Diciéndome constantemente yo puedo, yo puedo, yo puedo, aun cuando estaba tan cansada y no podía más."

Deborah sonreía al escuchar esa frase: "YO PUEDO." Ya que ella misma se la repetía continuamente en aquellos momentos en que su cuerpo le pedía un descanso y ella decidía seguir trabajando.

"Ahora sé que enfermedades o accidentes llegan, pero al menos sabré que llegaran por causas fuera de mi control y no porque no hice lo que estaba en mis manos para cuidar mi salud y mi cuerpo." -concluyó satisfecha Patricia, volviendo las dos a tomar su clase favorita.

"CUANDO SE PIERDE LA ARMONIA EN TU VIDA, LA ARMONIA EN TU CUERPO TE LO DEJA SABER"

HISTORIA DE VIDA

Diana

CAPITULO NUEVE

Perfeccionismo

“Es importante entender que tus pensamientos crearan sentimientos y desde lo que sientes vas a interpretar cualquier situación que estés viviendo. Entonces al final, no es la situación en si la que te provoca ciertos sentimientos, sino es tu interpretación o percepción de esta” - así concluía la sesión de terapia que tomaba una vez por semana Diana.

Diana comenzó una terapia después de la insistencia de su esposo y de los episodios de ansiedad y frustración que venía experimentando por meses. Y fue precisamente al salir de su consulta que vio en la sala de espera a Deborah, donde ella también estaba recibiendo terapia. No podían creer que ambas estuvieran frente a frente después de tanto tiempo, se abrazaron con tanto cariño como si la distancia y el tiempo no hubiera pasado. Deborah conoce a Diana desde que eran adolescentes, fueron a la misma escuela y compartieron muchas experiencias juntas. Deborah admiraba tanto a Diana por ser tan organizada, llena de metas, metas que muy pocos se ponían y las lograban. Diana tenía una personalidad fuerte, era decidida, inteligente, competitiva e independiente. Dejaron de verse por algunos años cuando Diana se casó y se mudó del país. Ahora Diana tiene 2 hijos y vive con su esposo.

"¿Cómo has estado Diana? Me da tanto gusto verte" – con un fuerte abrazo Deborah la saludo.

"He estado bien," -contesto Diana con vacilación. "No, no es cierto, no he estado bien. De hecho, esa es una de las razones por la que estoy aquí con mi psicóloga. Pero tu dime, ¿cómo has estado? Tu si te ves muy bien, que te has hecho." -Diana cambio inmediatamente la plática cuando se sintió interrogada.

"Gracias, he tenido algunos desafíos, pero me he sentido mucho mejor después de varias consultas que he tenido con mi terapista, pero ¿qué te parece si nos vemos en la tarde? Me encantaría ponerme al corriente contigo, tiene tantos años de no vernos" -insistió Deborah.

"Claro que sí, me va a encantar seguir platicando contigo."

Al reunirse por la tarde, ambas mujeres continuaron con su plática y el deseo de saber que ha pasado en cada una de sus vidas. Deborah comenzó contándole lo mucho que la extraño y todo y cada uno de sus logros tanto personales como profesionales hasta que un periodo de depresión la llevo a buscar ayuda y comenzar una terapia con su psicóloga.

"Y tú, como te fue, ¿seguiste trabajando después de que te casaste? – pregunto Deborah.

"Si, seguí trabajando un par de años más, tú me conoces, no puedo estarme quieta." – contesto Diana. "De hecho comencé otros proyectos antes de tener mis hijos, fue hasta que nacieron que decidí dedicarme a ellos y dejé todo lo relacionado a mí a un lado. Y no me lo tomes a mal, disfruto mucho ver crecer a mis hijos y estar con ellos, es solo que cuando no están, no sé qué hacer, no sé quién soy, no sé qué otro papel puedo desempeñar más que la de ser mama. Comencé a sentir mucha ansiedad y frustración. Lo que una vez me hacía feliz, dejo de agradarme y comencé a criticarme mucho. De hecho, por eso, con toda la pena del mundo estoy en terapia."

"Pero porque pena, yo también estoy en terapia y no es algo porque avergonzarse, sino al contrario, ¿sabes cuantas personas viven con cargas internas y no llegan nunca a encontrar una solución, por la PENA de buscar ayuda?" -sin perder tiempo alguno interrumpió Deborah.

"Entiendo eso Deborah." – contesto Diana. "Solo que no va conmigo, no puedo permitirme ser débil, estar triste o deprimida, tengo que ser perfecta, siempre lo he sido."

"Pero que dices mujer, si tienes una vida excepcional, has logrado tanto." -con asombro contesto Deborah

"A veces las cosas no son como se aparentan, creemos ver algo y resulta que es totalmente opuesto a lo que nos imaginamos. Es esa extraña sensación de bienestar y alegría exterior y en el fondo la constate lucha de demostrar que uno es feliz. Lo dices con las palabras: 'yo soy feliz,' 'a mí me va de maravilla' 'siempre estoy contenta' y al final de esos días exhaustos de pretensión, sobreviene la tristeza, frustración y el coraje." Esos eran los pensamientos que rondaban en la cabeza de Diana, una mujer con expectativas muy altas para sí misma, haciendo todo lo posible por alcanzarlas.

"Y desde cuando te sientes así Diana" -comento Deborah.

"Toda mi vida, solo que hasta hoy no lo había reconocido." -Diana cabizbaja compartía sus pensamientos con Deborah. "El estar en terapia me ha ayudado a darme cuenta que estuve en una lucha constante por hacer todo perfectamente. Desde niña, buscaba ser la mejor en la escuela y en todo lo que hiciera, buscaba ser la primera y la mejor y con una idea errónea que, si no hacía algo perfecto, sería mejor no hacerlo."

"Pero no de tas cuentas que el ponerte estándares altos te ha llevado a alcanzar muchas de tus metas, metas que muchos aun deseándolo no lograrían jamás ¿eso me parece estupendo?" -contesto Deborah.

"Si lo es, pero lo que he aprendido en la terapia es que el problema no son tener expectativas altas o metas grandes, el problema radica en como reacciono YO cuando no llego a cumplirlas." -Diana expresaba su nuevo entendimiento. "Por ejemplo, al no lograr aquellas metas altamente impuestas de manera perfecta, me creaba una autoevaluación negativa hacia mí misma, porque media mi valor personal con mis resultados. No tenía una medida sana ante los posibles errores o fracasos que pudieran surgir."

"Entiendo, entonces el ponerse metas altas es importante, solo deja de serlo cuando empiezan a deteriorar tu vida, cuando el deseo obsesivo de obtener esas metas y logros autoimpuestos son tan altos que traen consigo consecuencias negativas." -respondió Deborah.

"Exactamente. Cuando empecé a entender esto, me causo mucha ansiedad, creía que era una excusa de personas mediocres que no quieren superarse y dar lo mejor de sí." -continuaba su relato Diana. "Sin embargo, cuando comencé a experimentarlo en carne propia, comprendí que me estaba haciendo un daño yo misma. Mi idea absurda de evaluar compulsivamente mi desempeño en cada área de mi vida, y ponerme estándares exagerados comenzaron a ser una carga interna y física para mi salud."

"Y en qué momento decidiste ir a terapia." -pregunto Deborah.

"En realidad me costó muchísimo, no soy de las personas que no les gusta pedir ayuda, el pedir ayuda o favores me hace sentir débil o vulnerable." -compartía Diana. "Además, el hecho de alcanzar una meta sin hacer caso de las consecuencias, me daba en cierta forma satisfacción personal. Me hacía sentir plena, llena, aun cuando las consecuencias no fueran las más óptimas. Pero llego un momento en que mi obsesión por hacer todo perfecto, me comenzó a causar miedo al emprender cosas nuevas. Evite hacer cosas por el miedo de no hacerlo bien. No deseaba ser evaluada, me preocupaba que juzgaran mi desempeño. Comenzar algo y no terminarlo. Me daba pánico cometer errores. Fue hasta que no pude con mi ansiedad y dejar de llorar por no sentirme útil, por no tener impecable mi casa, por no frecuentar a mis amigas por miedo a que me cuestionaran, por no ser la esposa y madre perfecta y lograr lo que deseaba lograr, sin espacio al error. Era frustrante vivir así."

"Puedo entender muy bien lo difícil que puede ser el pedir ayuda. Al igual que tú, yo creía que no la necesitaba o que fuera útil." -con gran empatía comentaba Deborah. "Pero con el tiempo te das cuenta que *hay formas de avanzar en la vida más rápido y es a través del: autoconocimiento propio, ayuda profesional o experiencias propias de vida*."

"Poco a poco he empezado a entender muchas cosas, por ejemplo, como mi comportamiento tan demandante hacía imposible llevar una vida saludable." -Diana expresaba. "Ya no disfrutaba nada en mi vida, sentía una gran ansiedad y era una constante carrera a seguir con la siguiente actividad. Tenía creencias como: 'todo lo que empiezo tengo que terminarlo, sino soy una fracasada' o 'todo tiene que ser perfecto, sino, no está bien hecho'. Y que autoengaño, porque no necesariamente eso es cierto. Estas eran mis creencias que yo misma generaba por mi propia necesidad de sentirme aprobada y valorada y que en cierta forma me hacían sentir que valía como ser humano."

Deborah escuchaba atentamente cada una de las palabras de Diana, se daba cuenta como muchas personas comienzan a vivir sus vidas para llenar expectativas ajenas, sentirse aceptadas, valoradas, para sentirse incluidas o simplemente para llenar necesidades físicas o emocionales, sin darse cuenta del daño que se producen a sí mismas y a los demás.

"Pero ¿cómo se puede saber que te haces daño? al final estas llenando una necesidad tuya, ya sea para evitar dolor o sentir placer." – se cuestionaba Deborah.

"Eso no lo sé Deborah, solo sé que, en mi caso, había una constante preocupación por mi desempeño y me autocastigaba cuando no cumplía con mis metas, muchas veces impuestas de forma exagerada. Me decía cosas tan hirientes a mí misma como: 'eres una fracasada' 'nunca puedes hacer nada bien' 'que tonta eres' 'nadie te va a querer así' 'no vales nada' 'que pena me das' 'todos se burlaran de ti' 'no has hecho nada de tu vida' 'eres una vergüenza' etc. Por ejemplo, era un martirio si llegaba 5 minutos tarde, si no sacaba la nota perfecta, si no me quedaba el peinado fabuloso, si no decía las palabras correctas, si no tenía mi vestimenta impecable, si no alcanzaba mis metas tal como las pensé, etc. Al seguir engañándome y creyendo que todo tenía que ser perfecto, no solo me estaba dañando a mí misma, sino estaba dañando a mi familia. En mi hogar no había espacio para cometer errores o fallar de alguna forma. Acosaba a mi esposo cada vez que no dejaba las cosas en su lugar y alineados correctamente.

Estaba criando hijos tan rígidos con ellos mismos, que no solo les causaba estrés, sino que su propia autoestima se veía destruida ante el más pequeño error cometido." -Diana confesaba con toda honestidad.

"Bueno, pero los hijos les hacen caso a los padres porque confían en ellos y tú quieres lo mejor para ellos." -confirmaba Deborah.

"Exactamente y ¿no crees que es un grave error querer hacer a ser nuestros hijos a nuestra semejanza? En lugar de permitirles y enseñarles a usar su propia mente, evaluar las consecuencias de sus acciones y cuestionar aquello que les hace sentido o no. Solo date cuenta Deborah, si yo no estuviera recibiendo la ayuda que estoy recibiendo ahora, cuestionando el porqué de mis acciones y como afecta mi perfeccionismo mi vida y la vida de los que me rodean, la siguiente generación que estoy criando será de seres humanos rígidos, inflexibles, sin autoestima, aceptando todo sin cuestionamiento o evaluación alguna y sobre todo promoviendo un comportamiento que no tiene resultados realistas."

"Es cierto, al final, los hijos muchas veces llegan a ser una copia de sus padres y aceptan sus valores, creencias y hábitos sin cuestionarlos o evaluarlos ellos mismos."

“Si, siguen reglas impuestas y al final su felicidad o dolor es irrelevante, lo único que cuenta es que están cumpliendo con la voluntad de sus padres. Y ni pensar en cambiarlas, porque entonces te viene el remordimiento y sientes que estas traicionando las tradiciones familiares.” -continuaba explicando Diana.

“Bueno Diana, pero tampoco es fácil hacerlo y más cuando toda una vida has vivido así.”

“Estoy totalmente de acuerdo contigo Deborah, *hay reglas familiares impuestas para la seguridad de los hijos o la conveniencia de los padres*. Pero, ¿qué pasa cuando las circunstancias de tu vida cambian? ¿cuándo aquellas reglas o creencias no te ayudan a avanzar más o te causan dolor? Ahí es cuando deberíamos empezar a cuestionarlas.” -continuaba su relato Diana.

Por un momento se quedaron en silencio Deborah y Diana, digiriendo esas preguntas y cuestionamientos sobre creencias impuestas o aprendidas que algunas veces el seguir cultivándolas causan dolor, culpa, angustia, ansiedad o frustración.

"¿Y crees que algún día lleguemos a eliminar todo aquello que nos perjudica, ya sea que lo aprendimos o nos lo impusieron?" -pregunto Deborah.

"Aún no lo sé, hay mucha complejidad en el ser humano. Personalmente, no sé si algún día llegue a eliminar totalmente mi deseo de tener y hacer todo perfectamente, dejar de sentir internamente que he fallado o dejar de condenarme. Solo sé que debo de empezar hacer cosas que me van a sacar de mi zona de conformidad como el ir a terapia y aprender a vivir desde otra perspectiva, si en verdad quiero vivir una vida más saludable." -contesto Diana. "Creo que no muchas personas están dispuestas hacer cambios y por eso no muchos asisten a una terapia que requiere esos cambios."

"Si, yo he tenido que dejar mis miedos atrás y empezar a compartir mi sentir abiertamente para encontrar una forma diferente de vivir, y te confieso que no es fácil. No es fácil contarle a alguien totalmente desconocido tus miedos, traumas o experiencias que de alguna forma han marcado tu vida." -Deborah revelaba como se sentía al tener que compartir su vida con su terapista.

"¿Y te has dado cuenta que todo solo se basa en lo que nos decimos a nosotras mismas, ese dialogo interno que surge desde nuestros propios pensamientos? Esa pena de que nos juzgue o que se entere de nuestra vida la terapista es imaginaria, cuando su papel es buscar soluciones sin emitir juicios." -Diana se cuestionaba a sí misma su pena por pedir ayuda.

"Así es, la terapia es solo una opción y les funciona a algunos. Así que el que decida tomarla tiene que hacerlo por decisión propia, sino será más desafiante llevarla a su conclusión." -confirmo Deborah.

Era gratificante ver como dos mujeres con ideas fuertes sobre si mismas entendían que hay opciones en la vida para cambiar la forma de vivir. Al ver la terapia como una opción la tomaron, aun con la pena y sentimientos de rechazo que sentían. Algunas veces, el deseo de mejorar nuestro mundo, ser mejores padres, hijos, amigos, hermanos, seres humanos, no es suficiente, requiere el deseo intenso de cambiar aquello que nos detiene y buscar aquellas opciones que nos satisfagan para lograrlo.

"Y cuánto tiempo más vas a seguir con tu terapista? – pregunto Deborah.

"Todo el tiempo necesario para aprender las técnicas y responder a mis pensamientos automáticos. Busco el poder identificar, evaluar y modificar esos pensamientos que me dicen que tengo que ser perfecta, que todos mis logros son pequeños o que no tienen valor." -respondía con gran entusiasmo Diana.

"Estoy segura que lo lograras Diana, la gente en verdad cambia cuando quiere cambiar o cuando le duele tanto el no hacerlo. Y escuchándote creo que a ti te ha dolido demasiado no hacerlo."

Deborah sentía un gran orgullo y admiración por Diana, una mujer que quería reinventarse y dejar de perseguir el *ideal de la perfección.* Que deseaba entenderse y aceptarse completamente, aun cuando no entrara en el cuadro perfecto que siempre se imaginó. Que quería ponerse nuevos estándares para no seguir dañándose y dañando a su familia. Que deseaba romper con esas mentiras que la obsesionaban. Pero sobretodo admiraba a una mujer que, con sus dudas, miedos y vergüenzas, busco ayuda. Una mujer, que a su parecer era imperfectamente perfecta.

“EN LA VIDA SE AVANZA MAS RAPIDO A TRAVES DEL: AUTOCONOCIMENTO PROPIO, AYUDA PROFESIONAL O EXPERIENCIAS DE VIDA”

HISTORIA DE VIDA

Isabel

CAPITULO DIEZ

Perdón

Eran las 8:00 pm y ahí se encontraban Isabel y Deborah tomando café en una pequeña plaza en el centro de la ciudad. Deborah respetaba mucho a Isabel no sólo por los años de amistad, sino porque era una mujer que ha superado tantos retos emocionales, financieros, psicológicos y de salud y aun así seguía sonriéndole a la vida. Se encontraban para platicar de sus enseñanzas de vida, desafíos, experiencias y metas a cumplir.

Ahí estaban viendo pasar a las parejas tomadas de la mano y sonriéndose uno al otro sin parar. Era como si el amor se disfrazara en pequeñas brisas de aire y se esparciera en todo el lugar. Fue en un momento que presenciaron el beso de despedida de una pareja, que Isabel preguntó a Deborah: ¿Cuántas veces te has enamorado?

"Creo que dos veces" -respondió Deborah.

"¿Y cuándo estabas enamorada creíste que todo iba a acabar?

"Cuando estás enamorado en lo que menos piensas es en el fin. Es más, no crees que habrá un fin."

"Tienes razón, estas tan sumergido en la ilusión, que no hay tiempo de pensar en un final." Continuo Isabel: "Todo te parece irreal y único. Aún recuerdo que no lograba entender cómo mi matrimonio de casi 11 años se desvaneció de repente y llegó a su fin, dejándome con tantas dudas y llena de dolor. Creo que a pesar de tantos años de matrimonio aún seguía sumergida en esa ilusión y no pensé en un final."

"¿Y qué pasó en realidad?" -preguntó Deborah. "Cuando te volví a ver años después de tu divorcio, te vi muy bien, estabas tranquila que no me atreví a cuestionar lo sucedido."

"Por mucho tiempo no lograba entender qué pasaba, me preguntaba una y otra vez qué había pasado, qué falló, en qué me equivoqué, porque no presentí lo que estaba sucediendo con mi matrimonio, una y mil preguntas que sólo rondaban mi cabeza sin explicación alguna." – compartió Isabel.

Isabel aún recuerda aquel año en que todo sucedió. Ella vivía un momento en su vida en el que, tras conquistar tantas batallas no sólo internas, pero externamente, por fin lograba sentirse completa y feliz como esposa, hija, hermana, amiga y mujer. Estaba logrando tantas metas en su vida, no sólo de tener la oportunidad de graduarse de la Universidad y ser la primera en su familia en lograrlo, sino por superar tantos desafíos al inmigrar a otro país. Desafíos tales como mudarse a un país nuevo, aprender un nuevo lenguaje, enfrentar el desafío cultural, la separación familiar y de ser una extraña en un lugar donde la gente no hablaba su lenguaje, no se veían como ella o llegaban a entenderla.

"Todo era perfecto por primera vez en mi vida." -comenzó su relato Isabel. "Tenía un esposo al que quería, grandes amigos a mi alrededor, una casa hermosa, una buena educación y una gran vida. Estaba feliz. De repente, sólo una semana después de mi graduación de la universidad y después de más de 11 años de matrimonio, el que era mi esposo me pidió el divorcio. Se enamoró de una amiga. Me sentí devastada y en un sólo instante mi mundo se desvaneció. Mis primeros pensamientos fueron: ¿Cómo voy a sobrevivir a esto? ¿Por qué me está pasando esto a mí? ¿Por qué yo? Me hice este tipo de preguntas tantas veces, una y otra vez. Mi ex-esposo era mi mundo entero, mi apoyo no sólo emocional, sino financieramente. Dependía tanto de él."

"¿Pero así de la nada pasó todo?" -preguntó Deborah.

"Sí, eso fue lo que me sorprendió más; no había pleitos, amenazas, violencia, nada. En mi mundo y mi realidad, estábamos muy bien, qué autoengaño estaba viviendo." -

respondía Isabel. "Confiaba tanto en él que me sentí tan traicionada y enojada no sólo con él, sino con la que era mi amiga. Me la pasé meses enteros tratando de darle sentido a lo sucedido, a comprender qué hice mal, a escucharme a mí misma y estando consciente de cada uno de mis sentimientos y comportamientos. Esta experiencia creó varios cambios e impactó mi vida, afectándome emocional, espiritual, física, mental y económicamente."

Isabel aún recuerda cómo esta experiencia transformó su perspectiva del mundo y su ser. Impactó la relación con sus amigos, compañeros de trabajo, familia y toda aquella persona que estaba a su alrededor. Desde ese momento, no volvió a confiar en nadie.

"No podría imaginarme cómo esta experiencia impactó tu vida y más cuando llegó así tan repentinamente." -agregó Deborah.

"Hay cosas en la vida que algunas veces no sabremos explicarlas y comprender. El día que me pidieron el divorcio, mi vida tomó una nueva dirección. Una dirección que no tenía planeada o tenía control alguno. Comencé a ver al mundo con diferentes ojos. Tenía miedo y me sentía vulnerable en un mundo nuevo. Tenía miedo de lo desconocido y de mi futuro. Me sentía sola y sin esperanzas. No tenía metas, sueños, ilusiones o deseos de seguir adelante. Estaba tan enojada conmigo misma, por no ser capaz de mantener mi matrimonio que incluso llegué a cuestionar mi valor como mujer."

"¿Y qué hiciste?" -comentó Deborah.

"Por algún tiempo no supe qué hacer, me preguntaba a mí misma si debería vengarme o perdonar. No estaba segura de qué hacer, cuál era la decisión correcta." -recordaba Isabel. "Me sentía herida, estúpida, sin esperanza, miedosa, abandonada y sin valor, no sólo como mujer, sino como ser humano. Sin embargo, muy en el fondo de mí, sólo quería olvidar y continuar con mi vida, sin permitir que esta situación cambiara mi esencia. Por otro lado, cuestionaba esta decisión de perdonar y cómo sería vista ante los ojos de mi familia, amigos, cultura o sociedad. Cómo les explicaría que deseaba perdonar y no pelear un divorcio, ¿sólo por mantener mi imagen de una mujer casada? No le veía sentido."

"Espera un momento." -interrumpió Deborah. "¿Estabas más preocupada por el qué dirán, que por lo que tú deseabas hacer?"

"Sí, así es. Mi propio autoengaño empezó a ganar la batalla y me llevó a creer eso. *Cuando has perdido el amor propio y respeto por ti misma, lo único que te queda es la aprobación, compasión y lástima de los demás.*" -contestó inmediatamente Isabel. "Sin embargo, gracias a esta situación pude entender quién era yo en realidad y decidí hacer de esa experiencia un triunfo interno en lugar de una desgracia externa e ignorar el desafío que la vida me regalaba."

"¿Y qué fue lo que hiciste?" -preguntaba curiosa Deborah. "En situaciones como éstas, muchas personas prefieren quedarse como la víctima y esperar la compasión de los demás."

"Tal vez esa es la mejor opción para otros, para mí no la fue. Aun cuando el mundo que yo conocía despareció en un instante, un día desperté, abracé mi nueva realidad y acepté mi vulnerabilidad sin juicio o expectativa alguna."
"¿Y llegaste a superar todo desde ese día?"

"Claro que no, hubo veces en las que me sentía tan desesperada y maltratada por la vida que sólo deseaba llorar." -expresaba sus sentimientos a Deborah. "Y aun así me hacía la fuerte. Me auto engañé a mí misma por varios meses; fue hasta que dejé de esconder mis sentimientos y comencé a conocerme a mí misma por primera vez, que entendí que el comportamiento y decisión del que fue mi esposo no estaban en mi control, que lo único que podía controlar era mi reacción ante esa experiencia."

"Sí, así es, uno no puede controlar los actos o pensamientos de alguien más, solamente cómo respondemos a ellos." -agregó Deborah.

"Tienes mucha razón, Deborah. Fue cuando dejé de auto engañarme que le di la bienvenida a mi nueva realidad y comencé a aprender de ella. Mi mismo autoengaño me hizo crear historias y fantasías que me lastimaban, pero al final ¿cómo podría retener a una persona a mi lado sólo por mi ego herido, mi estado emocional o mis necesidades financieras?"

"He conocido a personas que se enfrascan en pleitos eternos por venganza, odio o rencor con su pareja." -respondió Deborah. "Y al final, si llegan a triunfar, no son felices."

"Sí, es muy triste ver el daño que hacen a otros, pero más triste es aquel que se hacen a sí mismos. Personalmente, cuando entendí que debemos crear paz en nosotros mismos primero, para crear una paz a nuestro alrededor, fue que decidí rendirme ante la situación y ganar el control de mi vida. *Decidí perdonar."*

"¿Pero por qué? Tenías todas las razones lógicas para no hacerlo."

"Me di cuenta conscientemente, durante este proceso de transformación, de que mi vida no llegaría a ser la misma. Desde lo más profundo de mi ser, entendí que todas aquellas cosas que creía que me definían, tales como mi ex-esposo, mi casa, amigos, sentimientos, pensamientos y metas habían cambiado y eran totalmente nuevos."

"Espera un momento, una cosa es saber que tu situación cambió y aceptarlo y otra muy diferente perdonar una infidelidad." -intervino Deborah.

"En mi caso no fue así, el aceptar que mi vida cambiaría y perdonar era algo que tenía que lidiar conjuntamente. No podría aceptar un cambio y seguir envenenada de odio o rencor, el *perdón* era indispensable. Tan pronto como superé mi coraje, miedo, resentimiento, deseos de venganza, celos y odio, comencé a sentir una sensación de paz y libertad. Sabía que no sólo tenía que perdonar al que fue mi pareja, sino perdonarme a mí misma. Tomar la responsabilidad de mis actos que de una forma u otra afectaron también mi matrimonio."

"Entonces te sentiste culpable." – comento Deborah.

"No, pero en una relación hay dos partes y cada parte debe ser responsable de sus acciones y cómo estas acciones afectaron, debilitaron o anularon el matrimonio." -afirmó Isabel.

"En mi caso, decidí entender qué papel yo jugué en esta situación, sin aprobar de ninguna forma lo que hizo el que fue mi esposo."

"Eso requiere humildad. ¿Y luego qué sucedió?"

"Bueno, comenzó el proceso de divorcio sin ningún contratiempo y cuando nos reunimos para firmar los papeles del divorcio nos pedimos perdón mutuamente. De cierta forma, deseábamos sanar las heridas y dar alivio a nuestros conflictos internos que venían creciendo con el tiempo. A partir de ese momento experimenté una paz emocional y mental."

"Pero, ¿realmente perdonaste?" -preguntó Deborah. "Aun cuando uno cree que perdona, muy dentro de nosotros quedan resentimientos acumulados."

"Sí, si no das un perdón sincero, libre y voluntario, el castigo mental y el autoengaño regresan a ti con el paso del tiempo. Cuando perdonas por remordimiento o presión ajena, la carga se desvanece, pero la angustia interna prevalecerá por mucho tiempo. El poder del perdón es un proceso en el cual se reconstruye uno mismo en un nuevo ser. Es a través de este poder que descubrí quién era y comencé a tomar responsabilidad de mi vida. Perdonar es un proceso que podemos controlar una vez que nos rendimos ante la adversidad y dejamos que tome su curso, escuchando sólo el mensaje de nuestra alma y reconciliándonos con nuestros valores y principios. Perdonar es un arte y una forma totalmente diferente de experimentar la vida que requiere tiempo para aprender y descubrir."

Isabel recuerda que todo comenzó a cambiar cuando dejó de auto engañarse, diciéndose a sí misma que no podría salir adelante y que nunca podría lograr nada sola. Son esas historias de mártir y victima que uno acumula después de enfrentar un desafío que te ciegan a ver la realidad y crear una nueva vida. Era cierto que el cambio no sería fácil y más cuando se ha vivido tanto tiempo bajo una misma idea y forma de actuar. Sin embargo, entendió que era necesario enfrentar la situación para poder crecer como ser humano y aceptar el nuevo ser que estaba surgiendo.

"¿Y qué tanto te tomó aceptar esa nueva etapa en tu vida?"

"No fue fácil, de hecho, fue doloroso empezar una nueva vida sin aquellos hábitos y rutinas que tenía, evaluando las ideas, conceptos y sobre todo comportamientos que en cierta forma ya no encajaban más en mi vida. Lo más complicado fue aprender a ser paciente conmigo misma. El perdonar me ayudó a entender que el vivir es aprender y crecer por mis experiencias y no ser controladas por ellas. Me di cuenta de que la mejor decisión que tomé fue aceptar mi situación y otorgar el divorcio de manera pacífica y madura."

"¿Y la gente a tu alrededor apoyó esa decisión?"

"Puedo decirte que algunos no la entendieron o les gustó la decisión. Es interesante cómo a veces la gente cree saber más sobre ti y cómo deberías tomar tus decisiones. Tomó también tiempo el entender cómo en su propio mundo, ellos querían mi bienestar, algo que valoro mucho. Sin embargo, el decidir por mí misma de qué forma quería vivir mi vida y enfrentar las consecuencias, me ayudó mucho a sanar más rápido y cerrar ese ciclo."

"Por lo menos tuviste el valor de decidir por ti, muchas veces no llegamos a ese punto y nos hundimos en nuestros propios conflictos personales."

"Sin duda alguna, pero en el momento que nos aceptamos y aceptamos a otros, esto trae paz a nuestra vida, haciendo más fácil el perdonar y pedir perdón. Es una decisión personal y sólo aquél que escoge ese camino tendrá la oportunidad de entenderse y entender el papel que otros juegan en tu vida y tu transformación. Es una nueva forma de experimentar la vida. El punto clave sucede cuando aceptas la invitación de tomar ese camino y lo abrazas con un corazón abierto. *Es sólo cuando nos perdonamos unos a otros con respeto y dignidad que podremos crear un mejor lugar para vivir*."

Isabel sintió por primera vez cómo al aceptar sus circunstancias tal como eran, sin crear historias dramáticas, exagerar o minimizar los hechos, buscar culpables o crear significados elaborados, su percepción cambio instantáneamente. Aceptó la oportunidad de liberar y liberarse del pasado, creando un nuevo futuro para sí misma. Una nueva persona había nacido y la forma en que experimentaba el mundo se transformaba poco a poco ante sus ojos, descubriendo una parte de su personalidad que no sabía que poseía. Fue en ese momento que descubrió a una mujer fuerte, decidida, poderosa y que, a pesar de haber sido lastimada, tenía el coraje de sonreír, amar y soñar de nuevo.

"ES SOLO CUANDO NOS PERDONAMOS UNOS A OTROS CON RESPETO Y DIGNIDAD QUE PODREMOS CREAR UN MEJOR LUGAR PARA VIVIR"

CAPITULO ONCE

Miedo

Elena escuchó atentamente a Deborah y todos y cada uno de los relatos y experiencias de estas mujeres, mujeres que se mintieron a sí mismas y que fue hasta que reconocieron su autoengaño que comenzaron a crear cambios en su vida.

Aun así, Elena no quería reconocer que su vida no la hacía feliz como ella creía. Quería demostrar a otros y a sí misma que su vida era perfecta, que ella era feliz y quería triunfar. Buscaba una excusa para justificar su fracaso. Justificar aquellas noches enteras en las que lloraba sollozando al costado de su marido, por miedo a despertarlo. Justificar esas ganas de gritarle a sus hijos que la respetaran sin hacerlos sentir mal. Justificar aquellos deseos de que su madre la viera como su niña y no como su salvadora al enfrentarse con los problemas. Justificar el apoyo desmedido y ventajoso de sus amigas cuando ponían sus intereses primero. Al final, era más fácil justificar y decir que algo o alguien no te permiten cumplir tus metas, que aceptar que uno sólo es el causante y responsable de todo lo sucedido.

Ella sentía un pesar por no dejarse llevar por sus sentimientos, los oprimía en su pecho y su corazón. Sin embargo, entendió por primera vez a Deborah y su rebeldía de ser ella misma.

“Es hora de definir mi vida.” -Elena se decía a sí misma. Y sin pensar en lo irónico de ese pensamiento, comenzó a reflexionar sobre su vida. Se dio cuenta cómo poco a poco llegó a esta situación. Por ejemplo, comenzó a agradar a toda persona que en su camino se cruzaba. A las amigas las escuchaba sin decir una palabra o contar su historia, dejándola triste después de cada encuentro. A la familia la ayudaba sin protestar cada vez que la llamaban para resolver asuntos económicos o personales. En su trabajo, agradaba a sus jefes por el miedo a que la corrieran o la catalogaran como una mujer fría y sin escrúpulos. Se dio cuenta de que en todo momento buscaba las palabras correctas, no entraba en debates y era la pacificadora oficial.

“¿Pero de dónde viene este comportamiento? ¿Cómo surgió?” -se cuestionaba Elena. Y una vez comenzó a justificar su comportamiento: “Bueno, al final, la gente me busca para arreglar sus problemas y tengo su aceptación.” -se decía a sí misma, con un nudo en la garganta y unas inmensas ganas de llorar.

En el fondo, Elena no era feliz con la vida que llevaba, ella sabía que sólo la utilizaban y no le daban el valor que en verdad se merecía. Pero tenía tanto miedo de cambiar, de perder la aprobación de su familia, amigos y su comunidad, que se aferraba a lo único conocido por ella, la autocompasión. Era más grande su miedo a lo desconocido que el vivir con la eterna agonía interna.

Pasaban más de las ocho de la mañana cuando el teléfono sonó. "Elena, necesito que vengas inmediatamente a la casa, tengo que ir a dejar unos pedidos y no tengo con quién dejar a los niños." -le dijo con toda autoridad una de sus hermanas. Elena se quedó pensativa por un momento, quería gritarle a su hermana que tenía otras cosas que hacer, que quería descansar, que estaba pensando ir a darse un masaje e ir a dar un paseo al parque. Y de pronto un miedo aterrador le recorrió todo el cuerpo sin darle tiempo a reaccionar cuando escuchó a su hermana decir: "¿Me estás escuchando? Te quiero aquí en menos de 20 minutos, ya tengo que irme."

De pronto, al otro lado del teléfono se escuchó una voz temblorosa que decía: "No puedo ir, tengo otras cosas que hacer." -era la voz de Elena. "¿Cómo que tienes otras cosas que hacer?" -la interrogó su hermana. "¿Me estás diciendo que tienes algo más importante que ayudar a tu hermana y cuidar de tus sobrinos? No puedo creer lo que escucho Elena, creí que eras diferente, pero ya veo que no. Qué tristeza le dará a mi madre escuchar cómo te estás comportando."

"Está bien, voy para allá." -afirmó Elena con un gran pesar. Al colgar el teléfono, Elena se preguntaba por qué permitía que la trataran así. Tenía miedo, tenía mucho miedo del rechazo de su madre, de las quejas de sus hermanas, de la actitud de su esposo y del comportamiento de sus hijos. No sabía cómo actuar, qué decir y sobre todo cómo quitarse los sentimientos de culpa al no hacer lo que los otros le demandaban. "¿Será que sí soy egoísta, como mencionó Deborah?" -se cuestionó Elena.

"Sí eres una egoísta." -le contestó Deborah de pronto. "Eres una egoísta con el ser más importante sobre la faz de esta tierra, TU. Eres una egoísta al no valorarte, al no estar en paz y libre de culpa, sin sentimientos de coraje, impotencia y sentir lastima por ti misma."

"Espera un minuto." -la confrontó Elena. "Me refiero a que quizá sea egoísta con los demás cuando pienso primero en mí."

"¿Y cuál es el punto de pensar sólo en ti, si no actúas para el beneficio tuyo?" -le preguntó Deborah.

"¿A qué te refieres?" -dudosa cuestionó Elena.

"Me refiero a que de nada sirve que pienses en ti, que pienses en lo que te gustaría hacer, cómo te gustaría actuar, qué es lo que te gustaría tener o experimentar, si no haces nada al respecto. Tu miedo te paraliza, tu miedo al qué dirán, tu miedo al rechazo, tu miedo a quedarte sola, tu miedo a no ser lo suficientemente capaz de salir adelante, tu miedo a no ser tú misma. Y es ese mismo miedo el que te está llevando al rechazo, a la soledad, a la impotencia y a la amargura de ser quien no quieres ser. El miedo eres tú."

"¿Acaso tú no tienes miedos?" -la retó Elena.

"Claro que tengo miedos al igual que tú, sólo que yo los reconozco y hago algo al respecto cuando los tengo. No corro, me escondo, los controlo o simplemente creo justificaciones para no enfrentarlos." -le contestó sin duda alguna Deborah. "Al minimizar tus miedos, lo único que ocasionas es incrementarlos y seguir en la oscuridad."

"Es fácil para ti decirlo ya que no vives lo que yo vivo y no tienes las presiones que yo tengo, ya que puedo perderlo todo." -se defendió Elena.

"Y según tú, ¿cuáles son las circunstancias en las que tú vives?" -dijo Deborah retando a Elena.

"Bueno, tengo una familia, hijos, un nombre dentro de la sociedad, un lugar en mi grupo de amigas, podría perder todo eso." -contestó Elena, buscando alguna pizca de compasión.

"¿Y no lo has perdido ya?" -preguntó Deborah.

"¿A qué te refieres?" -con prontitud contestó Elena.

"En el mismo momento en que no disfrutas ni de tus amigas, tu familia, tus hijos y tu lugar en la sociedad, lo has perdido automáticamente. ¿Cuál es la diferencia de querer algo y no tenerlo, que tener algo y no disfrutarlo?," -cuestionó a Elena haciéndola pensar por un instante.

Era interesante ver cómo estas dos mujeres se podrían sacar los pensamientos más internos de su ser sin hacerse daño. Al final de todo, se preocupaban una por la otra. Deborah sabía que Elena estaba preocupada sólo por su bienestar, que buscaba esa satisfacción personal al sentirte parte de algo o de la vida de alguien, sin darse cuenta de que lo que estaba buscando era esa realización en la que pudiera sentirte satisfecha. Es tan fuerte su deseo de aprobación, su lugar en la familia y ser reconocida, que no veía la miseria interna que esto le provocaba.

"Es que este mundo es seguro para mí, ya lo conozco, ya sé lo que la gente espera de mí y cómo puedo actuar." -Elena dijo buscando la aprobación de Deborah.

"Tú lo has dicho Elena, estás actuando, no estás siendo tú. Tienes tanto miedo a enfrentarte y presentarte ante otros como eres tú. Tienes miedo a que te rechacen, a que no te busquen más, a que no seas de su agrado. El entrar a un mundo desconocido, sin saber qué pasará, es lo que te causa tanto miedo." -Deborah compasivamente platicaba con Elena.

"¿Y cómo puedo enfrentar mi miedo, al igual que tú enfrentas los tuyos?" -ansiosa espera una contestación Elena.

"Desechando la frenética necesidad de querer saber el futuro y la necesidad de tener seguridad. Tenemos tanto miedo de estar vacíos, de no tener nada que ofrecerle al mundo o llegar a ser alguien, que nos aferramos a esas pequeñas cosas que nos dan validez, y que a la larga nos minimizan más. Mantente en tu realidad y tu presente. Enfréntate a ti misma y acéptate cómo eres."

"¿Y cómo puedo llegar aceptarme tal como soy?" -preguntó Elena.

"Cuando te empieces a ver realmente tal como eres, cuando veas tus miedos y tus defectos y los aceptes en lugar de huir de ellos." -contestó Deborah.

Al terminar de decir estas palabras, Deborah desapareció, dejando a Elena pensativa y llorando internamente, mientras se dirigía a la casa de su hermana.

"AL MINIMIZAR TUS MIEDOS, LO ÚNICO QUE OCASIONAS ES INCREMENTARLOS Y SEGUIR EN LA OSCURIDAD"

CAPITULO DOCE

Posibilidades

A través de los años comienzas a crear un mundo perfecto. Un mundo en el que nuestros pensamientos están acorde a nuestras ideas y deseos. Y se vuelve un desafío reinventar esos pensamientos y a su vez recrear nuevas acciones. Y cómo dominar esa voz que surge desde las entrañas y nos cautiva y amenaza sin piedad, esa voz que nos susurra con ese tono suave y desafiante, cómo dominar esa voz: nuestra conciencia.

Es muy fácil imponer o exigir a otros qué hacer en cada oportunidad que hay, pero ¿Qué tan ciertas o verdaderas son nuestras ideas? ¿Qué tan cierto y verdadero es nuestro proceder? Ahí estaba Elena, cuestionando su valor no sólo como mujer sino como ser humano. ¿Cómo podía cambiar su forma de pensar y recrear un mundo nuevo? ¿Cómo podría cambiar la vida que había creado? ¿Cómo podría llegar a hacer esos cambios que mujeres como Judith, Patricia, Diana, Claudia, Carolina, Yolanda e Isabel hicieron?

Elena no se imagina vivir de diferente forma, no porque no quisiera, sino porque tenía miedo al rechazo de los demás. Tenía miedo a no encontrar a esa mujer que perdió cuando era niña y a la que se le fue callando la voz lentamente.

Por otro lado, Elena se imaginaba cómo sería su vida con una nueva posibilidad. Cómo sería su vida realizando todos sus deseos y viviendo a plenitud, sin miedo al qué dirán, sin miedo a perder a su familia, sin miedo al rechazo, sin miedo a ella misma.

"¿Cómo puedo sentarme con mi esposo y de pronto decirle que no me gusta la forma en la que es conmigo? Decirle que no me gusta cuando él decide por todo, cuando no pide mi opinión. Decirle que cuando platico con él, sólo deseo que me escuche y no que resuelva las cosas. Decirle que deseo trabajar y no sólo ser una ama de casa. Decirle que deseo que me toque, abrace y bese apasionadamente y por sorpresa. Decirle que tengo sueños y metas y que él quiera escucharlas. Que deseo que cuando estemos cenando me vea y me pregunte cómo me siento, cómo estuvo mi día, qué me hizo sonreír hoy. Que me tome de la mano sorpresivamente y me diga cuánto me ama. Decirle que cuando me quedo callada en realidad deseo que hablemos más sobre el tema. Que se siente conmigo por un rato y nos contemplemos mutuamente sin decir una palabra. Que quiero volver a tener esa primera cita y yo escoger mi comida. Que me gusta ser protegida, pero también me gusta ser independiente y sentirme capaz. Que soy un ser humano y no sólo una mujer que le cocine y planche la ropa. Decirle que, a pesar de no hablar, no significa que no tengo nada que decir. Que me gustaría recibir flores y sentirme conquistada. Que quiero ser su compañera, amiga, amante y no sólo la mamá de sus hijos. Que quiero ser yo misma. ¿Pero cómo decirle eso y mil cosas más? ¿Si no le he expresado mi descontento de ninguna forma? ¿Si al final sólo sonrío y controlo mis emociones para evitar el conflicto?" -se cuestionaba una y otra vez Elena.

Por una parte, Elena cuestionaba su deseo de expresarle a su marido su infelicidad, y por otra, se sentía culpable. ¿Cómo podría Elena no estar feliz con un hombre como su marido? Ante todos tenia al hombre perfecto, todas sus amigas envidiaban su matrimonio. Tenía a su lado a un hombre que la mantenía, llegaba a dormir a su casa casi todos los días, no tenía vicios grandes y cuidaba de sus hijos. ¿Cómo podría alguien esperar más que eso?

Me da tanto miedo el sólo pensar que mi marido me pueda decir: "Eres una mujer que lo tiene todo, casa y un hombre que te mantiene ¿qué más quieres?"

En su cabeza, Elena pasaba una y otra vez la misma película con las posibles respuestas de su marido, sintiendo un pavor enorme al saber que puede ser tachada de egoísta y malagradecida. ¿Acaso era el miedo a cómo iba a reaccionar su marido o a la opinión que éste podría crearse sobre ella? Elena no podía ni siquiera pensar que la opinión positiva de alguien más sobre ella cambiara aun a costa de su felicidad.

"¿Y qué es lo peor que podría pasar, Elena?" -preguntó Deborah.

"No lo sé, podría pedirme hasta el divorcio, no podría vivir con un fracaso de esa magnitud, Deborah" -contestó Elena deprisa.

"También podría haber otra posibilidad." -comentó Deborah. "La posibilidad de que te escuchara por primera vez al demostrarte tú misma, siendo auténtica y sincera. No te hagas más daño Elena, tú misma estás creando ese mundo del que no podrás salir jamás. Tú eres tu propia prisionera y verdugo."

"¿Y cómo puedo empezar a cambiar esta realidad?" -preguntó agotada Elena.

"Todo comienza desde los pequeños susurros que te dices a ti misma. Comienza desde todas aquellas conversaciones que tienes con tu ser interno. Todos aquellos momentos de tristeza, agonía, desespero que hacen vibrar tu corazón y lo trasmites a tu alma. Sé cuidadosa. Sé bondadosa. Sé audaz. La actitud que tomes ante la vida hará de ti una ganadora o te llevará al fracaso continuo" -replicó Deborah.

"Van a haber cadenas mentales que te detendrán a creer en ti, en creer que puedes lograr tus metas, en creer que puedes superar los obstáculos y en creer que eres capaz de hacer que suceda. Cuando lleguen esos momentos de duda y cuestionamiento, escúchalos porque son parte de ti, pero por ningún motivo o instante los aceptes y los creas. En el mismo instante en que los creas, se harán realidad primero en tu mente y automáticamente en tu mundo exterior."

"Aprende a ser humilde y a aceptar que no lo sabes todo y tener el coraje suficiente para aprender todo de nuevo. Tener ese deseo, esa hambre, esa ambición de saberlo todo y lograr todo, pero sin soberbia, sino dejándote llevar por aquellos que ya lo vivieron y lo pasaron. Sé humilde de aceptar tus errores y humilde de aprender de todo tu alrededor, porque hasta la más mínima cosa sucedida y experimentada tiene un aprendizaje, un aprendizaje de valentía y agallas. *Supérate a ti misma y a tu intelecto.*"

Elena escuchaba incrédula a Deborah. ¿Cómo era posible que hubiera tanta sabiduría en ella? ¿Cómo era posible que no se diera cuenta de las intenciones de ayuda que le brindaba? ¿Por qué sólo se enfocaba en aquellas cosas que la hacían diferente a ella? ¿Por qué nunca la escuchó más allá de su realidad? Al final, Elena se dio cuenta de que *sólo aceptamos aquello que justifica nuestra propia historia y pasamos por alto el verdadero valor que hay en el interior de otras personas*.

Elena, sin tardanza alguna, comenzó a hacer de comer antes de que sus hijos llegaran de la escuela y su esposo de trabajar, sin dejar un momento de pensar en la posibilidad de ser honesta con ella misma primero y después con aquellas personas que la rodean y que forman parte de su vida.

Se preguntaba una y otra vez *cuándo había sido el momento en que dejó de vivir para comenzar a subsistir, cuándo dejó de sonreír para comenzar a fingir, cuándo dejó de anhelar y comenzó a aceptar y cuándo dejó de creer y comenzó a desear*. ¿Será acaso en el mismo momento en que su propia vergüenza no le permitió asumir sus derrotas? Cuántas veces hemos deseado cambiar nuestro pasado y liberarnos de esos recuerdos que nos detienen a seguir intentando, a seguir buscando nuevas posibilidades de vida. ¿Será acaso en aquel momento en que decidió que no se merecía tener más y que el desearlo la hacía sentirse ambiciosa? ¿Será acaso en el momento que los otros le dijeron que era suertuda y que no aspirara a nada más?

"¿Qué más da cuándo comenzó todo? -Deborah interrumpió ese viaje de recuerdos. "Lo importante ahora es pensar qué estás dispuesta a hacer para cambiar tu presente y ver todas aquellas posibilidades que te brinda la vida."

"Lo sé." -contestó Elena. "Sólo que no es fácil cambiar de un momento a otro."

"Nadie ha dicho que es fácil, si así fuera, no estarías en esta situación. El cambio requiere un esfuerzo grande día con día y representa un gran desafío que muy pocos están dispuestos a enfrentar. Es más fácil aceptar y condenarse a la aceptación interna. Guardando unos segundos en silencio, Deborah cuestionó nuevamente a Elena: "¿Estás dispuesta a darte esa oportunidad? ¿Estás dispuesta a enfrentar el gran desafío de aceptar quién eres?"

Elena se veía en el espejo queriendo encontrar en su reflejo a aquella mujer fuerte que contestara por ella. Aquella mujer que tomara su lugar y que sin duda alguna se sintiera capaz de enfrentar lo que se le presentara.

“ACEPTAMOS AQUELLO QUE JUSTIFICA NUESTRA PROPIA HISTORIA Y PASAMOS POR ALTO EL VERDADERO VALOR QUE HAY EN EL INTERIOR DE OTRAS PERSONAS”

CAPITULO TRECE

El Desafío

Han pasado días sin ningún encuentro. Elena continuó su vida y en la rutina diaria. Haciendo los mismos deberes y teniendo los mismos comportamientos. Sin embargo, después de la última conversación con Deborah, algo cambió en ella. Sus pensamientos giraban alrededor de cómo sería su nueva vida, una vida en la que ella era la protagonista, en la que ella era la que decidía cómo vivir, en la que los otros la aceptarían sólo por ser ella misma y no por lo que se esperaba que fuera.

Por primera vez, se dio cuenta de que sus pensamientos diarios le estaba causando conflictos, coraje, miedo y una condenación interna. Se estaba envenenando a ella misma y a los demás. Se dio cuenta de que al no ser ella misma y vivir desde su propio ser, se estaba convirtiendo en una mujer amargada, sola y triste. ¿Pero cómo empezar? Esa era la pregunta que giraba en su cabeza una y otra vez. ¿Cómo recrear mi vida sin miedo alguno?

Elena deseaba que Deborah llegara y le dijera cómo hacerle o qué decir. Se sentía tan insegura que no quería cometer ningún error. Por otro lado, Elena de pronto comenzó a recordar aquellos momentos en que era honesta con ella misma y con los demás; podría verse al espejo sin vergüenza alguna y dormir largas horas en la noche con una paz inquebrantable. Se sentía amada, útil, capaz y segura de sí misma. Por ejemplo, así se sentía cuando era independiente y tenía su propio trabajo, mucho antes de casarse. Esa capacidad de ser ella misma, de cuidar de sí y tomar sus propias decisiones, la hacían sentirse única y especial. Esos pensamientos la hicieron darse cuenta de que tal vez ese sería el primer paso para crear nuevas posibilidades de cambio y comenzar a sentir respeto una vez más por ella misma. También recordó que esos momentos en la que se sentía fuerte, confiada y única, eran cuando podía decir y hacer lo que ella sentía que era lo correcto, sin miedo al qué dirán.

"¿Pero ¿qué quieres ahora?" -apareció sin aviso alguno Deborah. "Es lindo que recuerdes y te sumerjas en tus vivencias pasadas, añorando el ayer; sin embargo, ¿Qué quieres hacer HOY para cambiar tu futuro? ¿Qué quieres vivir hoy para recordar mañana?"

Sin duda alguna y con una velocidad impresionante, Elena contesto: "Quiero volver a trabajar."

"Perfecto. ¿En qué te gustaría trabajar? -preguntó Deborah.

"Me gustaría ser educadora de niños, pero no sé si estoy preparada para eso." -una vez más Elena volvió a caer en el victimismo, segándola a crear una oportunidad para ella misma. "Además no sé cómo reaccionaría mi familia y la gente que me conoce." -agregó Elena agachando la cabeza, llena de vergüenza. Una vez más, el miedo al cambiar la visión que otros tenían sobre ella, estaba ganándole la batalla.

Deborah dejó a Elena por unos momentos con sus pensamientos, sabiendo que era una batalla que sólo ella podría ganar. Esa batalla interna del autoconocimiento y el aprendizaje personal. Elena tenía que entenderse a sí misma y desde ese entendimiento tomar sus propias decisiones.

Elena ha vivido desde una perspectiva construida a través de fragmentos de su pasado y los cuales su mente ha ido cultivando en cada parte dentro de su ser. Era interesante ver cómo Elena basada toda su vida en sus memorias y cómo éstas producían un efecto en ella. El conocimiento que tenía sobre sí misma, era una recopilación de conocimiento pasado y experiencias caducas.

Deborah aún recuerda ese sentimiento de miedo, angustia y dolor al no saber cómo dejar de vivir en el pasado y enfrentar el presente al igual que Elena. Recordaba el desafío que era entenderse a ella misma, el querer cambiar desde una historia pasada y comportamientos arraigados en su cuerpo y en su mente. Lo difícil que era entender sus propios miedos y vivir con ellos, lo difícil que era aceptar a otros sin juicios y condenas, lo difícil que era aprender a estar sola sin sentirse desolada. Pero sobre todo lo difícil que era aprender a no condenarse, huir de ella misma o buscar distracciones que le hicieran olvidar su presente.

Ese proceso ahora lo vivía Elena. Elena sentía pavor de cambiar su vida, de aprender a conocerse nuevamente, de cambiar su rutina. Por ejemplo: ¿Cómo reaccionaría la gente que la conocía al escuchar que volvería a trabajar? -Elena se preguntaba una y otra vez. Ella tenía una perspicacia para diseñar conversaciones imaginarias que tendría con gente a su alrededor que comenzó a imaginarse las reacciones que tendrían las personas al escuchar de su nueva decisión:

Sus amigas: "¿Trabajar? ¿Tienen problemas económicos?

Sus hermanas dirían: "¿Trabajar tú?, pero si no sabes hacer nada."

Sus hijos: "¿Trabajar? ¿Y quién nos va a cuidar?

Su esposo: "¿Trabajar? ¿Por qué? ¿Acaso te hace falta algo?

Su mamá: "¿Trabajar? ¿Y quién cuidara de tu familia?"

Elena mantuvo por largas horas aquellas conversaciones mentales y cómo contestaría a cada una de las interrogativas impuestas. Sufría cada una de las objeciones imaginarias, llegó hasta llorar cuando tuvo imaginariamente la oposición de algunos de ellos. Había momentos en que el sólo pensarlo la hacían sentir egoísta. Pero, aun así, Elena creía que tal vez esa sería una forma de salir de su estado y recrear una nueva vida.
"¿Y cuándo quieres comenzar?" -preguntó Deborah.

"No lo sé, me imagino que cuando me sienta lista y más preparada para conseguir un trabajo." -contestó Elena.

"¿Y sabes que ese tiempo no llegará?" -respondió Deborah. "Para entender nuestro mundo, tenemos que enfrentarlo, no huir de él. No llegará un momento perfecto, una hora perfecta, un lugar perfecto en un futuro; se encuentra sólo en el presente y si escapas todo el tiempo de él con la ilusión de que algún día llegará, no podrás enfrentarlo, haciendo cada vez más fuerte tu hábito de escape."

"Es que no sé si esa sea la mejor decisión." -avergonzada respondía Elena.

"¿La decisión de volver a trabajar? o ¿la decisión de enfrentar a otros?" -Deborah intrigada esperaba la respuesta de Elena. Sin embargo, sólo recibió un silencio total. Así que Deborah decidió enfrentarla nuevamente, pero con una compasión que pocas veces se le atribuía.

"¿Qué te hace falta en tu vida, Elena? ¿Por qué te sientes tan vacía por dentro?" -Deborah amorosamente la cuestionó.

"No lo sé." -comenzó a llorar desconsolada y abatida Elena. "Siento que si cambio mi rutina, no me servirá de nada. Tal vez me sienta bien por unos días, contenta quizás, pero al igual que todo lo que he hecho, no perdurará mi felicidad y me sentiré peor después de hacerlo. Me sentiré más triste, egoísta y vacía."

Deborah, al escuchar con gran atención cada una de sus palabras, se dio cuenta por primera vez de que Elena había perdido su alegría de vivir, su alegría por ser ella misma. Su seguridad como mujer, su vida misma.

"Tienes razón Elena, tal vez una nueva actividad no te traiga la felicidad. Sin embargo, el complacer a todos primero antes que a ti misma no te hace una mejor persona, una persona dadivosa o una persona compasiva. Lo haces porque es la única forma que encuentras que te mantiene a salvo, que te da una identidad, un propósito."

"¿Me mantiene a salvo?" -preguntó Elena.

"Sí, a salvo de ser criticada, de crear resentimientos negativos de otros hacia ti, de sentir que tienes valía y aceptación. Esta actitud te mantendrá todo el tiempo en este estado de víctima y mártir porque no sentirás que los otros valoran tus esfuerzos y no recibes lo que necesitas, que es aprobación."

El constante cuestionamiento de Deborah producía pequeños destellos de autoconocimiento y aceptación en Elena. Se dio cuenta de que a pesar de todo lo que hiciera, tenía que llenar ese vacío que ha permanecido por varios años en su interior y que sólo lo ha adormeciendo con actividades y complacencias ajenas, que al final del día, sólo le causaban culpa y tristeza.

"Deborah, tienes razón, reconozco que me he estado mintiendo a mí misma y que en verdad no me siento feliz; siento que algo me falta internamente, y que no importa qué tanto haga o deje de hacer, afuera no está la respuesta." -humildemente declaró Elena.

"Elena, ese el primero paso para un gran cambio, la aceptación. El encontrar tu propia identidad y tener autoconocimiento en base a tu existencia es donde comienza la verdadera aventura." -comentó Deborah.

Elena, al escuchar esto, sonrió no sólo con su cara sino desde su propia alma con un gran alivio lleno de esperanza. Reconocía que se necesita valor para aceptar que uno vale por sí mismo y no por la posición, educación, aceptación de los demás, vida familiar, hijos o el matrimonio.

Sin embargo, Elena no se imagina una vida diferente. ¿Cómo podría desechar todo lo que tiene en este momento por el simple hecho de no sentirse feliz? Tenía tanto miedo a tomar una decisión equivocada y que resultara contraproducente.

Deborah, al ver a Elena con incertidumbre, la cuestionó: "¿Qué es lo que te causa más miedo?

"Me da miedo la soledad y el no poder salir adelante por mí misma. Me da miedo el dolor de saber que yo soy la culpable de todas y cada una de mis desgracias. Me da miedo la vergüenza de saber que estuve viviendo una mentira por tanto tiempo. Me da miedo la tristeza de saber que fracasé en mi parecer como mujer, hija, esposa, madre. Me da miedo que no tengo o tendré el coraje de aguantar. Me da miedo jamás descubrir quién soy yo en verdad y mostrarme ante el mundo." -contestó con una gran sinceridad Elena.

Elena vivía lo que muchos seres humanos experimentan al no encontrar su propósito en la vida; viven y mueren en una vida de engaño. Renuncian a la posibilidad de crear un mundo diferente, renuncian a una nueva forma de vida. Renuncian a toda su grandeza.

Deborah, al haber vivido en cierta forma deslumbrada por los logros y aceptación ajena, entendía lo desafiante que era crear una nueva realidad, una realidad que te brinde una felicidad interna envuelta con tu propia esencia.

Sin perder tiempo, Deborah le dijo a Elena: "¿Sabes cómo me di cuenta de que no era feliz?"

"¿Cómo?" -contestó Elena con una voz intrigada y llena de curiosidad.

"Me di cuenta de que en realidad no era feliz cuando mi vida se llenó de miedo, miedo al qué dirán, miedo al no recibir la misma atención, miedo a no ser popular, miedo a no tener la aprobación de otros. Me di cuenta de que comencé a vivir mi vida desde la necesidad. Una necesidad ajena, que no reconocía tiempos ni esfuerzos. Me hice responsable de las acciones y errores de otros. Acepté situaciones que no me ayudaban a crecer o ser un mejor ser humano. Dejé de confiar en mí, en mis talentos, en mis opiniones, en mí misma. Comencé a darle más valor a lo que otros dijeran o sintieran. Estaba más al pendiente de lo que los otros necesitaban y deseaban, dejando a un lado la responsabilidad de mi propia vida." -narraba con gran detalle Deborah.

"No te imagino en esa posición" -argumentó Elena.

"Es un proceso lento y silencioso que a simple vista no se da a conocer. No te das cuenta cómo surge y cómo se desarrolla dentro de ti. Cuando muestras una vida feliz externamente y tus logros son tu principal fuente de vida, te vas cegando interna e inconscientemente. Cuando me di cuenta, intenté correr, huir, alejarme, creyendo que esa podía ser una salida, pero no hay salida desde afuera. Es un cambio interno, es el actuar desde tu corazón, enfrentar tu vida y viéndola a la cara gritarle que ya sabes la verdad, que ya sabes que el deseo de control y ego entorpecen. *En el momento que enfrentes tus miedos al rechazo, la condena y la soberbia, tus cadenas que te detienen se romperán* y un grito arrasador comenzará a salir queriendo detenerte una vez más. No permitas que eso te pase Elena, no lo permitas." -le imploró Deborah.

Elena una vez mas no supo qué pensar, no sabía que Deborah en cierta forma experimentó lo que ahora ella está experimentando. Pero aún no lograba encontrar ese valor de aceptar que su propio ego la estaba llevando a esta situación y que era su propio ego el que no le permitía aceptarlo. Se imaginaba una y otra vez la reacción de aquellos que la conocían, la reacción de su esposo al no conocer a esta mujer que ha estado callada por tantos años, se imaginaba la reacción de ella misma al vivir su propia expectativa y no la de los demás, sin saber que *no hay peor derrota que la que te vence antes de empezar la lucha.*

"Si hay alguna decisión que te impone miedo y no sabes cómo será el resultado, de antemano recibirás la justificación de que no es el momento adecuado." -continuaba hablando Deborah. "Tu mente buscará en tu historia pasada y al no encontrar pruebas de éxito, te hará pensar que será mejor esperar un poco más, aguantar un día más, y sin darte cuenta, esos días se convertirán en años y esos años en toda tu vida. Y ahí te quedas, queriendo ser alguien más, alcanzar una vida más placentera y escuchando a una persona que se engaña a sí misma diciéndose que es lo mejor y que vendrán más oportunidades en el futuro. Cuando internamente sabes que ésta era tu oportunidad, que esto era lo que realmente querías y sólo te auto engañaste a ti misma."

Elena no podía con esa angustia y ansiedad de querer cambiar a su edad, de querer ser otra mujer nueva y renovada, no creía que podría ser posible un cambio desde lo más profundo de su ser y sobre todo el ser aceptada por los demás. Elena no se daba cuenta de que todos sus miedos se enfrascaban cada vez más y se hacían más poderosos al querer ocultarlos y minimizarlos.

Así transcurrió otro día más, otra noche más, con la angustia en su alma y con la pena en su espíritu.

"EN EL MOMENTO QUE ENFRENTES TUS MIEDOS AL RECHAZO, LA CONDENA Y LA SOBERBIA, TUS CADENAS QUE TE DETIENEN SE ROMPERAN"

CAPITULO CATORCE

Entendimiento

Después de tantos días de cuestionamiento propio, Elena pudo entender que su vida es diseñada por ella misma desde sus actitudes y pensamientos; se dio cuenta de que se dañaba día con día al compararse con aquellos que enfrentaban los desafíos sin miedo alguno. Se comparaba con Deborah una y otra vez y deseaba tener su facilidad de ver la vida. De decir lo que pensaba sin miedo alguno, de ver el mundo desde una perspectiva de asombro en lugar de crítica. Se preguntaba por qué algo que las hacia tan diferentes las unía incondicionalmente y les daba valor. Sabía que Deborah era la única que a pesar de saber la verdadera personalidad de Elena y todo lo que la detenía, confiaba en su capacidad y fortaleza personal. Aun así, le costaba entender por qué la rechazaba en ocasiones.

"¿Pero por qué la escucho, porqué la busco, porqué la espero? Aun no entiendo. ¿Por qué si me quejo de su personalidad y pensamientos, estoy ansiosa de verla y escucharla? Aun no comprendo o tal vez lo hago y no quiero aceptar que ella es parte de mí y que aun en su locura y rebeldía, me reflejo y espero encontrar algo de ella en mí. ¿Acaso ella será feliz? -se cuestionaba Elena al no saber nada de Deborah.

¿Qué es la felicidad? -sin aviso alguno le preguntó Deborah.

"No lo sé, pensé que yo era feliz y ahora me doy cuenta de que no." -respondió sorprendida y confundida Elena. "Tenía un mundo perfecto y ante los demás todo estaba bajo control."

"*La felicidad sólo es la ausencia del agobio interno*." -respondió sin titubeos Deborah. "Elimina la ilusión de un mundo perfecto, una relación de pareja perfecta, un trabajo perfecto. Enfócate en ti misma y tu manera de ser. La ilusión de tu realidad es el resultado final en el que comienzas a morir lentamente y sin regreso alguno. No dejes que tu vida caiga en esta trampa. Corre, corre sin parar y brinca esos paradigmas locos e inconscientes de tu mente."

"¿Y cómo se logra?" -cuestionaba sin reparo alguno Elena.

"*Aprendiendo a vivir desde la conciencia de lo real y la responsabilidad, donde tus palabras y acciones se convierten en una sola cosa*. Aun cuando tu conciencia te ataca, te desafía, y te quiere ver caer, es sólo para verte levantar. Te ve en cada una de tus derrotas y se burla de ti, no por maldad, sino porque no acepta tu incapacidad de no saber guiar tu propia vida. Pero aún tu conciencia es tu mejor aliada en la construcción de tu vida. Sólo tu conciencia desde un punto de reflexión y empatía podrá indicarte qué camino tomar, qué personas buscar y qué decisiones postergar." -contestó Deborah con la sabiduría de una anciana.

"Uno de los obstáculos más desafiantes por vencer del ser humano, es la autocompasión. La autocompasión que nosotros mismos nos creamos a diario y nosotros mismos justificamos, justificamos nuestra novela, nuestra historia, nuestro veneno interno."

Elena, al escuchar estas palabras cayó al suelo cubierta de lágrimas y sintiendo una paz interior.

Por fin Elena pudo entender a Deborah, ella no era una enemiga declarada, era más que eso, era la persona que deseaba que tomara control de su vida. Entendió que se tiene que ser valiente y luchar contra nuestras propias fuerzas internas, nuestro ego, nuestro orgullo, nuestra soberbia, nuestra necesidad de sentirnos necesitados y queridos. ¿Por qué aceptar aquello que no te llena con tal de no sentirte solo, querido, deseado? ¿Por qué pretendemos no saber nada y continuar con ese algo o ese alguien que no suma sino resta a tu vida? ¿Por qué nuestro deseo de supervivencia interna en el otro ser humano? ¿Por qué volvemos atrás, a aquello que sabemos que no pertenece a nuestro presente y mucho menos a nuestro futuro? ¿Por qué persistimos en crear aquellos encuentros, aquellos recuerdos, aquellos momentos que alguna vez nos hicieron felices, pero que sabemos que no se repetirán?

Esas preguntas rondaron en el diálogo interno de Elena. "¿Por qué no alejarme de una vez por todas, por qué no soltar aquello que me detiene, por qué no buscar el horizonte donde pueda emprender el vuelo y volar libre y sin carga alguna?" -cuestionó abiertamente y sin reproche alguno a Deborah.

"Por humildad. Ser humilde y aceptar que uno no puede controlar nuestro alrededor, es una habilidad desafiante de desarrollar y poner en práctica." -le contestó bondadosamente Deborah. "Nuestro ego y soberbia no nos hacen cuestionar otros niveles de entendimiento y otros puntos de vista diferentes a los nuestros. Creemos tener la razón debido al conocimiento desarrollado y adquirido a través de los años, queriendo saber cómo funciona todo. Pero ese funcionamiento sólo existe en nuestro propio mundo y en nuestro egocentrista punto de vista. No nos dejamos enseñar o considerar otras opiniones. Y no nos damos cuenta de que esa es la única forma de entendernos a través de los ojos de los demás. Ya no es suficiente conocernos y saber que nuestra soberbia es la única que entiende nuestro pasado y presente."

Elena finalmente entendió que la gente a nuestro alrededor es y serán los mejores maestros y que de ellos aprendemos, de ellos vivimos, de ellos comprenderemos aquello que en un momento no creíamos que existía o que no queríamos entender.

"Déjate ir, Elena. Cierra el ciclo, cierra la puerta, cierra tu corazón, pero sobre todo cierra tu mente a aquello que no te trae abundancia, amor y sinceridad." -le aconsejó bondadosamente Deborah y desapareció sin señal alguna.

Elena sintió un escalofrío y una sensación como si toda la parte de su ser se congelara y explotara internamente. Entendió que Deborah y ella eran la misma persona. Entendió que Deborah era esa mujer que vivió todo lo que Elena deseó vivir. Entendió que Deborah vivirá siempre en ella y estará a su lado cuando dude de sí misma y para recordarle que es ella misma, la que decide cómo vivir. Para recordarle que no debe permitir que nada la detenga a obtener sus sueños y metas. Para recordarle que no tiene que posponer todo y dejarlo para después. Para recordarle que el miedo mismo es su puerta hacia un nuevo mundo. Deborah es la parte de ella que se atreve a seguir adelante y luchar por lo que en verdad quiere y desea. Al final comprendió que ella era su mejor enemiga. Ella era la luz de su reflejo. Ella era su conciencia.

"LA FELICIDAD SOLO ES LA AUSENCIA DEL AGOBIO INTERNO"

Para comentarios o sugerencias póngase en contacto:
info@regalanow.com